인공지능 헬스케어 산업동향 보고서
2023 개정판

BT TIMES

목차
Contents

01. 서론

1. 서론

[1]

[그림 1] 인공지능 헬스케어

누구나 건강한 삶을 바라고 있다. 이처럼 건강한 삶은 모두가 바라는 것으로 이를 위한 질 높은 의료 서비스에 대한 니즈는 점차적으로 증가하고 있으며, 이를 구현하기 위한 인공지능 헬스케어 분야는 4차 산업혁명의 핵심으로 떠오르고 있다.

인공지능 헬스케어가 활성화되면 환자를 넘어 일반인에게도 데이터를 기반으로 하는 개인 맞춤형 의료건강관리 서비스가 제공되기 때문에, 의료비 부담이 줄어들 뿐만 아니라, 개개인이 손쉽게 건강한 삶을 영위할 수 있게 될 것이다.

특히, 최근 대두되고 있는 개인건강기록(Personal Health Record; PHR)은 여러 의료기관에 흩어져 있는 진료기록, 건강검진기록, 유전정보는 물론 IoT 의료기기로 측정되는 혈압·혈당 등 생체정보, 웨어러블 기기로 수집되는 활동량, 칼로리와 같은 라이프로그 등을 통칭하는 것으로 이를 이용한 빅데이터는 인공지능의 자양분이기 때문에 앞으로 인공지능은 헬스케어분야에서 더욱 더 넓게 활용될 것으로 전망된다.

의료기관의 경우 빅데이터와 인공지능을 기반으로 하는 정밀치료를 제공함으로써, 합리적인 비용과 동시에 의료 서비스의 질적 수준을 현저히 향상시킬 수 있다. 이외에도 제약회사 또한, 개인의 유전체 정보를 포함한 데이터를 인공지능 기술을 통해 분석함으로써, 개인 맞춤형 약품과 표적 치료를 위한 약품을 보다 쉽게 개발할 수 있다. 더 나아가 현재 국내에서 의료 서비스와 가장 밀접한 관계가 있는 건강보험의 경우 가입자의 정확한 데이터 분석을 통해 적절한 보험료를 산정할 수 있으며, 보험금 누수 방지, 보험사기 방지 등 건강보험의 업무를 효율적으로 수행할 수 있다.

---

1) 의료·헬스케어에 VR·AR 기술이 활용된다?, YTN 사이언스, 2018.09.11

이처럼 의료업계 전반에 있어 빅데이터와 인공지능, 나아가 IoT는 큰 변화를 몰고 올 기술로 선정되며, 특히 빅데이터와 IoT를 통해 생성된 데이터를 기반으로 하는 인공지능은 더욱더 큰 관심을 받고 있다.

본 보고서는 이러한 인공지능과 헬스케어를 다방면으로 살펴보고자 한다. 2023개정판에는 최근 인공지능 헬스케어의 시장 동향과 기술동향, 국내외 기업 동향, 정책 동향 등의 자료가 업데이트 되었으니 독자 분들은 참고하시길 바란다.

02. 인공지능 헬스케어 개요

2. 인공지능 헬스케어 개요

가. 스마트 헬스케어[2)]

우리는 인공지능 헬스케어에 대해 살펴보기 전, **스마트 헬스케어**에 대해 먼저 알아볼 필요가 있다. 스마트 헬스케어는 인공지능 헬스케어를 포함하는 큰 개념으로, 4차 산업혁명의 핵심 ICT 기술인 **빅데이터, 인공지능(AI) 사물 인터넷(Internet of Things, IoT), 클라우드 컴퓨팅 등을 헬스케어와 접목한 분야**이다.

기본적인 산업 구조를 살펴보면, 소비자가 일상생활이나 의료기관 등 전문기관에서 생성해낸 데이터를 데이터 전문 기업이 수집 및 분석하여, 이를 의료 및 건강관리 기업이 다시 활용하여 소비자에게 자문 및 치료 서비스를 해주는 구조이다.

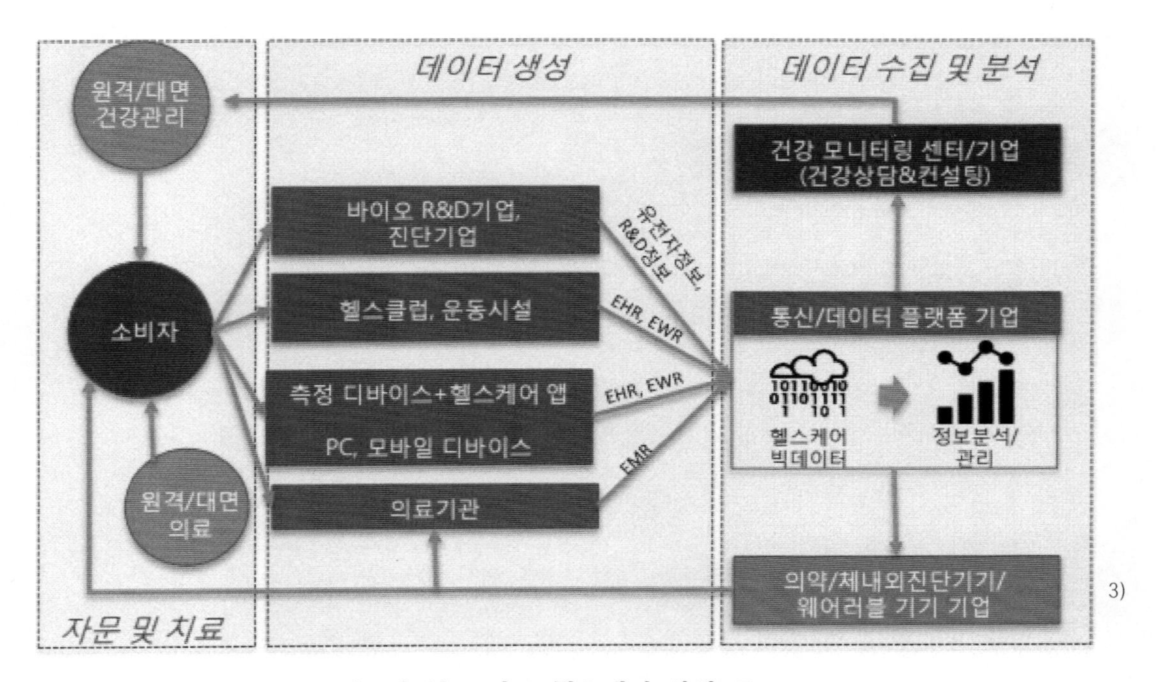

[3)]

[그림 2] 스마트 헬스케어 산업 구조

스마트 헬스케어는 ICT 기술을 활용하여 인간의 건강을 개선하는 다양한 방법론을 의미한다. **스마트 헬스케어는 원격진료, 스마트 헬스, 모바일 헬스를 포괄하는 광의의 개념**으로, 기존 헬스케어 산업과 비교하여 산업의 주도권이 의료영역(의료기관, 환자)에서 일반 소비영역(일반제조기업, 소비자)까지 확대된 형태를 보인다.

2) 스마트헬스케어, 한국IR협의회, 2019.09.19
3) 스마트헬스케어, 한국IR협의회, 2019.C9.19

1) 스마트 헬스케어와 인공지능

스마트 헬스케어 **인공지능(Artificial Intelligence, AI) 활용 기술**은 기존 의료 데이터와 신규 의료 데이터, 유전자 데이터, 환자 상태 정보로 인해 **방대해진 의료데이터들을 인공지능 기술로 활용하는 기술**을 말한다. 즉, 인공지능 스스로 학습 및 분석하여 헬스케어 산업에 적용함으로써 진료 프로세스 효율화, 의사결정 지원, 질병 예측, 맞춤형 치료 등 새로운 고부가가치형 의료 서비스 제공 등의 새로운 부가가치를 창출하는 기술을 의미한다.

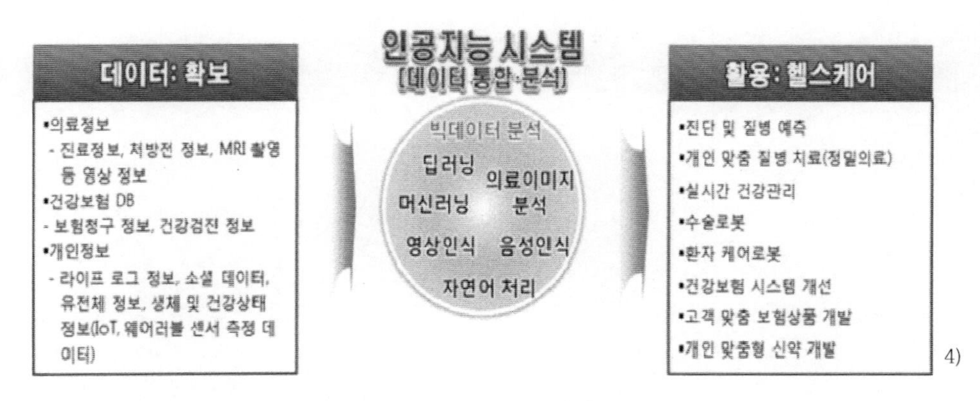

[그림 3] 인공지능 헬스케어의 개념

인공지능 기술은 다양한 형태를 가진 방대한 규모의 의료 빅데이터를 분석 및 활용할 수 있는 기술들 중 가장 각광받고 있는 기술로서, 보다 정밀한 진단으로 의료 현장에 막대한 파급력을 끼치리라 예상된다.

2016년 BioKorea에서 발표된 자료에 의하면, IBM 왓슨의 암진단 정확도는 현재 96%로 상승하여, 전문의보다 높다고 평가되고 있다. 인공지능 기술의 발전으로 헬스케어 산업에 인공지능 기술의 적용은 새로운 혁신적인 의료 서비스의 등장을 가속화 할 것으로 기대되고 있으며, 이는 의료의 질적 수준을 향상 시킬 수 있는 핵심 기술로서의 중요성이 부각되고 있다.

특히, 최근 IoT와 웨어러블 디바이스 등의 다양한 센서를 통해 실시간으로 건강관련 데이터와 개인의 생체정보 확보가 가능해졌기 때문에, 대용량의 데이터를 쉽게 획득할 수 있게 되었다. 이렇게 확보된 대용량의 데이터는 다양한 인공지능 기술에 사용되며, 이처럼 인공지능 기술을 통해 분석된 정보는 질병 예측 및 예방, 환자 맞춤형 질병 치료, 영양 및 건강관리, 수술로봇, 보험상품, 신약개발 등 헬스케어 산업에 다양하게 활용되어 새로운 가치창출의 견인차 역할을 할 것으로 전망된다. 인공지능 헬스케어는 방대한 양의 데이터를 바탕으로 환자의 생명을 다루는 의료업계에서 정확한 진단 및 의사결정 지원도구로써 중요한 의미가 있다. 결과적으로 이를 통해 의료 서비스의 수준을 향상시킬 수 있기 때문에 헬스케어 산업에서 인공지능은 많은 관심을 받고 있다. 또한, 의료산업에서 인공지능은 의료 서비스 수준의 향상 뿐만 아니라, 비용절감으로 이어지기 때문에 많은 전문가들은 인공지능을 통해 의료시장이 크게 성장할 수 있을 것으로 전망한다.

---

4) 인공지능 헬스케어의 산업생태계와 발전방향, 김문구, ETRI, 2016

인공지능 기술	헬스케어 적용
머신러닝, 딥러닝	대규모 의료 빅데이터를 기반으로 스스로 학습하고 데이터를 분석함으로써 질병 예측, 신약개발 촉진 및 의료진에 대한 의사결정 지원
영상인식 기술	환자의 MRI(Magnetic Resonance Imaging), PACS(Picture Archiving and Communication System) 등 의료영상데이터의 의료영상이미지를 학습 및 분석하여 질환에 대한 진단정보 제공으로 의사의 진단과 처방을 지원
음성인식 기술	진료시 의사와 환자간 대화가 음성인식 시스템을 통해 자동으로 컴퓨터에 입력, 저장되는 의료녹취 서비스 제공으로 의료기록 작성에 소요되는 시간 단축
자연어 처리 기술	임상시험 적합환자 선발과 같이 방대한 자료를 이해하고 검토 및 분석하는 경우, 자연어 처리 기술을 적용하여 의료진의 업무 부담 경감 및 의료 업무 효율성 극대화

[표 1] 인공지능 기술의 헬스케어 적용 및 성과

인공지능 기술은 기하급수적으로 늘어나는 의료데이터 분석 및 Insight 도출을 통해 산업 활성화 및 의료 질적 수준 향상을 위해 직면한 문제점을 해결할 방안으로 떠오르고 있다.

건강관리와 의료서비스 분야에 인공지능 기술이 도입 및 활용되기 시작하였고, 또한 의료 영상이나 분석, 진단 등 다양한 분야에서도 인공지능 기술이 활용되고 있다. 의료기관에서 발생하는 텍스트 기반 대규모 의료 데이터, 의사와 환자 간 대화, 방대한 분량의 영상의료데이터 등에 인공지능 기술을 적용함으로써 개인의 의료편익 증대 및 의료 산업의 성장 촉진이 기대된다.

2) 스마트 헬스케어와 빅데이터

스마트 헬스케어 빅데이터 활용 기술은 기하급수적으로 늘어나고 있는 헬스케어 데이터들을 스마트 기기(웨어러블, 스마트폰, 스마트 의료기기 등)를 통해 분석·활용함으로써 만성 질환 관리 서비스, 질병 예방 서비스, 진단 및 치료 서비스 등 의료서비스의 혁신을 이룰 수 있는 기반을 만들어 주는 기술을 지칭한다.

최근 헬스케어 산업의 패러다임이 질병이 발생한 후에 치료를 받는 치료.병원 중심에서 스스로 건강을 관리하는 예방.소비자 중심으로 변화하면서 헬스케어 산업 내 빅데이터 분석이 더 중요해지고 있다. 임상, 유전자, 생활습관 등 개인이 생성하는 다양한 의료 데이터는 정밀 의료 구현의 토대가 되기 때문이다.

개개인이 생성해내는 방대한 양의 비구조화 데이터를 분석하게 되면 기존의 정형화된 치료방식이 아닌 개인에게 맞춰진 정밀 치료를 할 수 있게 되고 효과는 극대화될 수 있다. 이에 따라 헬스케어 각 과정에서 발생하는 방대한 양의 데이터를 어떻게 모으고 활용하는지가 매우 중요해지고 있다.

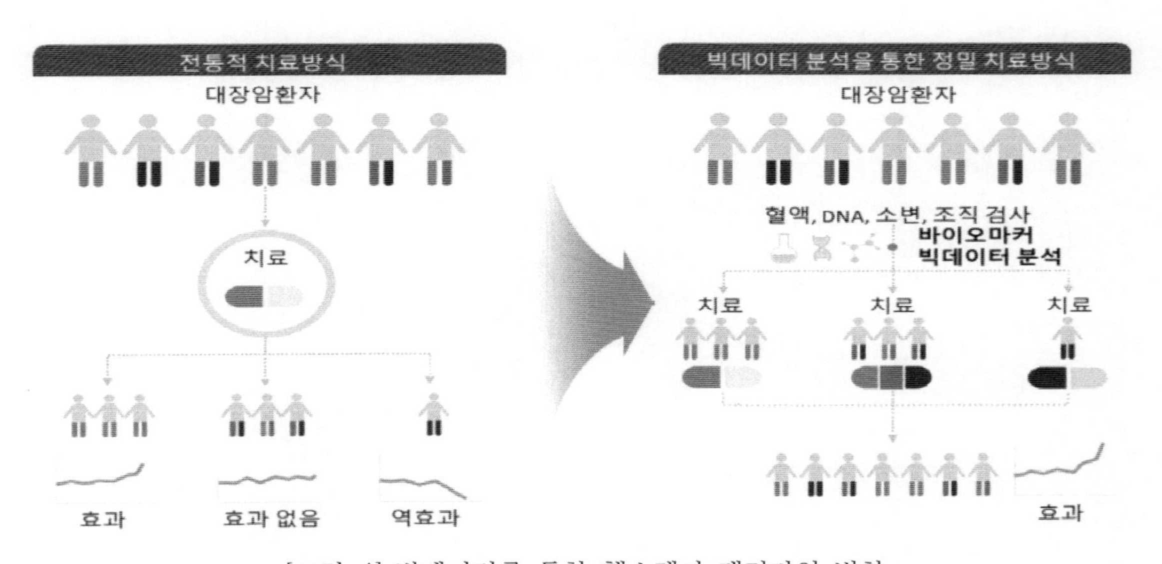

[그림 4] 빅데이터를 통한 헬스케어 패러다임 변화

McKinsey에 따르면, 헬스케어 분야에서 빅데이터를 적절하게 활용하게 되면 연간 최대 1,900억 달러의 비용 절감을 실현시킬 수 있다. 특히 임상시험 단계에서 빅데이터를 활용하면 최소 750억 달러에서 최대 1,500억 달러의 비용절감 효과를 보일 것으로 분석되고 있다.

예를 들어 다양한 의약품의 임상시험을 설계할 때 어떤 방식이 가장 효율적인지 빅데이터 분석을 통해 찾아낼 수 있다. 또한 AI 기반의 머신러닝 기술을 빅데이터 분석에 활용하면 임상시험의 성공률을 높이고 오차를 쉽게 찾아내서 향후 임상시험 비용과 기간을 단축시키는 긍정적인 효과로 이어질 수 있다.

3) 스마트 헬스케어와 IoT

스마트 헬스케어 IoT 활용 기술은 전통적인 의료정보에는 존재하지 않는 환자의 실시간 건강상태 변화에 대한 정보를 파악할 수 있게 해 주며, 환자의 행동변화와 반응에 관련되는 life-log 정보를 통해 환자의 상태를 감지, 예측, 추론하는데 필요한 정보를 제공하여 헬스케어 서비스의 효과성을 높이는데 기여하고 있다.

IoT 기술은 센서나 웨어러블 같은 사물(Things)들이 유.무선 통신 네트워크(4G, 5G, Wi-Fi, Bluetooth, ZigBee 등)를 통해 인터넷에 연결되어 서로 통신하는 기술이다. IoT 기술이 헬스케어 분야에 적용되면 환자를 실시간으로 모니터링 가능하고, 불필요한 병원 방문과 입원을 줄임으로써 의료비용 또한 절감이 가능하다. 또한 실시간 데이터를 통해 적절한 시기에 치료가 가능하게 됨에 따라 치료 효과가 향상되고 환자 편의성이 증대할 것으로 예상된다.

헬스케어 분야의 IoT 표준화는 OCF(Open Connectivity Foundation)에서 진행되고 있으며, 2018년 6월에는 헬스케어 기기들을 지원하는 OCF 2.0 표준을 제정했다. 헬스케어 기기들과 병원의료 시스템 간의 호환성, 연동성 등을 고려하여 표준을 개발할 때 적극 반영할 필요가 있다. IoT로부터 수집한 방대한 규모의 의료데이터는 높은 수준의 신뢰성과 보안성을 요구하는 매우 민감한 개인정보이기 때문에, 이에 따른 정보 유출 문제를 해결할 수 있는 방안이 필요하다.

나. 인공지능 헬스케어의 부상 배경

인공지능 헬스케어의 부상 배경은 크게 4가지로 나누어 볼 수 있다.

① 보건의료 패러다임의 변화

보건의료 패러다임은 과거 단순 치료중심에서 사전 진단, 예방 및 맞춤형 치료로 변화하고 있다. 특히 사전진단, 예방 및 건강관리에 대한 관심이 증대하고 있으며 분자영상의 진단의 발전으로 질병의 조기 진단 및 맞춤형 치료가 가능해졌다.

이러한 보건의료 패러다임의 변화는 인구 고령화의 진전으로 의료비 부담이 가중됨에 따라 의료비 지출을 줄이기 위한 혁신적인 의료서비스에 대한 소비자의 니즈가 증가하며 더욱 빠르게 변화하고 있다고 할 수 있다.

② 의료데이터의 빠른 증가

의료데이터는 2020년까지 73일마다 2배씩 늘어날 것으로 전망된다. 또한 IDC에 의하면 의료데이터의 양은 2012년 약 500PB에서 2020년 25,000PB로 약 50배가 증가할 것으로 전망된다.

이처럼 폭발적으로 늘어나는 의료데이터를 분석하고 이를 통해 인사이트를 도출하여 산업을 활성화 시키고 의료의 질적 수준을 향상시키기 위해 직면한 다양한 문제점을 어떻게 해결해야 할 것인지가 최근 중요한 이슈 중 하나로 부각되고 있다.

③ 기술의 발전

사물인터넷(IoT), 모바일 인터넷, 스마트 웨어러블 디바이스 등과 같은 ICT 인프라의 획기적인 발전과 의료기관 의료영상전송장치(PACS, Picture Archiving and Communication System)의 기술적 완성도 및 보급률이 증가했고 이와 함께 의료기술, 빅데이터, 인공지능 기술의 발전과 ICT의 상호결합은 헬스케어 산업에서의 활용가능성을 증대시킴으로써 보다 혁신적인 서비스 창출에 대한 기대감을 높이고 있다.

또한, 최근 빅데이터와 클라우딩 기술을 통한 데이터 수집과 분석이 용이해지고 인공지능 기술의 발전이 빠르게 진전됨에 따라 헬스케어 산업에서 인공지능 기술의 적용은 새로운 혁신적인 의료서비스의 등장을 가속화할 것으로 기대된다.

④ 의료분야에서 인공지능의 중요성 부각

인공지능 기술은 의료의 질적 수준을 향상시킬 수 있는 핵심 기술로서 중요성이 부각되고 있다.

건강관리 및 의료서비스 분야에 인공지능 기술이 도입 및 활용되기 시작하였으며, 의료영상 분석이나 진단, 신약개발 연구 분야 등에도 인공지능 기술의 활용이 본격화되고 있다.

인공지능 기술 발전은 방대한 데이터의 통합·분석을 통해 헬스케어 분야의 새로운 가치를 창출할 것으로 기대되고 있으며 의료분야에 인공지능 기술의 도입은 개인 맞춤형 치료 제공을 통해 의료의 질을 향상시킬 뿐만 아니라 신약개발의 속도와 효율성을 개선시키고 있다.

또한, 고령화로 인한 의료비 부담이 예상됨에 따라 인공지능 기술을 활용함으로써 질병의 정밀진단 및 조기발견으로 의료의 질적 수준 향상과 의료비 절감에 대한 니즈가 증가하고 있으며, 인공지능 기술은 진단이나 처방 등 일부 영역에서 인간의 실수로 인한 오류를 보완하는데 뛰어난 기술력을 지니고 있다.

④ COVID-19 팬데믹[5)]

20세기 의학기술이 급속도로 발달하고, 1980년 세계보건기구(World Health Organization, 이하 WHO)가 '천연두 종식'을 선언했을 때만 해도 인류는 '전염병과의 전쟁'에서 승리했다고 믿었다. 하지만 착각이었다. 2003년 사스(SARS, 중증 급성호흡기증후군)를 시작으로 2009년 신종 인플루엔자에 이어 최근 COVID-19까지 21세기 들어서도 인류를 위협하는 대규모 전염병 발생이 줄을 잇고 있다. 과거 전염병이 전 세계적으로 퍼지기까지는 많은 시간이 걸렸지만, 21세기 출현한 감염병은 이동수단의 발달과 함께 급속도로 다른 국가로 확산되는 양상이다. 특히 금번 COVID-19 바이러스는 중세 유럽을 뒤흔든 페스트에 견줄만한 굵직한 사건으로 기록될 것으로 보이는데, 2019년 시작된 COVID-19 바이러스는 불과 2년 반 만에 전 세계 인구의 7%에 해당하는 5억 6천만 명을 감염시키며 일상을 마비시켰다.

IT 기술의 발달에도 불구하고, 인간의 생명과 직결되어 있는 헬스케어 산업의 특성상 디지털 기술의 도입은 제도적으로 어려운 부분이 많았다. 하지만 COVID-19의 대유행은 디지털 헬스케어의 필요성에 대한 사회적 공감대를 형성하게 하는 계기가 되고 있다. 이 기간에 인류는 원격의료, 의약품 배송, 가정 내 건강관리 등 비대면 헬스케어 서비스의 편리함과 유용성을 경험하게 되었고, 이는 향후 포스트 COVID-19 시대의 '뉴 노멀(new normal, 새로운 표준)'로 자리잡을 가능성이 높다.

---

5) 디지털 헬스케어의 개화 원격의료의 현주소, PwC Korea, 2022.07

다. 헬스케어분야의 인공지능 기술

① 기계학습/딥러닝

기계학습과 딥러닝은 새로운 데이터가 주어졌을 때 프로그램화된 논리나 정형화된 규칙 등을 바탕으로 스스로 학습 할 수 있는 컴퓨터 프로그램이다. 딥러닝은 기계학습의 한 분야로 숨겨진 다층구조 형태의 신경망을 기반으로 사람이 모든 판단기준을 정해주지 않아도 스스로 인지·추론·판단 할 수 있는 컴퓨터 프로그램이다.

기계학습과 딥러닝은 의료분야에서 의료 빅데이터를 기반으로 스스로 데이터를 분석하여 신약개발 및 의료서비스 의사결정하는 과정에 도움을 제공하고 있다. 최근 인공지능 기술 중 딥러닝의 발전이 가장 눈부시며, 영상 및 음성인식 기술과 접목하여 다양하고 새로운 헬스케어 서비스를 창출하고 있다.

② 자연어처리

자연어처리는 인간의 언어를 컴퓨터가 이해할 수 있도록 지식 및 기술을 연구하는 분야로, 의료분야에서는 텍스트 기반의 자연어처리와 관련하여 IBM 왓슨은 세계 최고 수준의 기술을 보유하고 있다.

③ 영상인식

영상인식은 사진, 동영상 등의 외부사물이 주어졌을 때 이미지 속 대상이 무엇인지분별하고 위치를 파악하는 분야로 딥러닝 기술이 접목되어 가장 괄목할만한 성과를 나타내고 있다. 의료분야에서 영상인식은 의료이미지분석을 통해 의사들의 진단과 처방에 도움을 제공하고 있으며, 초기 진단시장에 진출할 가능성이 높다.

④ 음성인식

음성인식은 음향학적 신호를 컴퓨터가 듣고 텍스트 정보로 맵핑하는 과정으로 사물인터넷과 접목하여 높은 파급력이 기대되는 분야이다. 의료분야에서 음성인식은 의료녹취, 실시간 대화 통역 등으로 의료산업에 도움을 제공할 것으로 전망되며, 이를 통해 의료기록 작성에 들어가는 시간을 단축할 수 있을 것으로 전망된다.

기업	적용형태	적용부문
딥러닝	스스로 학습하는 능력을 이용해 대량의 의료 영상기록을 처리함으로써 의료진의 치료 결정에서의 불확실성 감소	진단영상, 헬스케어 IT
영상처리	대규모 의료영상을 빠르게 처리해 질환 형태, 음성/양성 판단 등에 적용	
자연어처리	진료 기록과 같은 긴 서술형 문자 묶음들을 해석할 수 있도록 변환	의료기기, 헬스케어 IT
음성인식	환자의 음성과 언어를 포착해 중요한 정보를 전자 기록함에 기록	
통계분석	대용량 환자의 의료데이터를 빠르게 조사하고 분석하여 환자의 치료 결과를 예측 가능	의약품, 헬스케어 IT
빅데이터 분석	헬스케어 기관들이 보유한 방대한 환자 의료데이터를 처리하고 환자와 치료제공자들에게 맞춤형 권고를 제공	
예측 모델링	위험 질환 예측 등과 같은 진료 결과를 예측하는데 수학 모델 적용	
로보틱스	수술 과정의 정밀함과 정확도를 높여 질 높은 치료를 제공	의료기기, 헬스케어 IT
디지털 개인 비서	환자의 상태를 알 수 있는 지표들을 지속적으로 모니터링하고 필요 상황에 간호사에게 알림을 줌으로써 골든타임 확보	
머신러닝	치료결과에 영향을 미치는 데이터를 기반으로 패턴 예측 및 분석	헬스케어 IT

[표 2] 인공지능 기술의 헬스케어 분야 적용 현황

라. 헬스케어분야의 인공지능 활용 현황[6)]

인공지능이 바꿀 것으로 예상되는 헬스케어산업 분야는 크게 제품과 서비스 두 가지로 나눠서 살펴볼 수 있다.

① 제품의 혁신

먼저, 첫 번째 '제품'은 병을 진단하거나 치료하는 기기의 엄청난 발전을 불러올 것이며, 두 번째 '서비스'는 사람의 건강 유지 및 관리를 위한 다양한 서비스의 발전을 불러올 것이다.

첫 번째 '제품'의 영역을 조금 더 깊이 살펴보면, 지금까지 사람의 판단에 의존해 온 여러 가지 치료법들을 인공지능이 대체할 가능성이 매우 크다. 인공지능은 혈액, 유전자, 신체조직 등을 면밀히 분석해 병의 발병 상황 및 그 가능성을 판단해 즉시 알려줄 것이며, 질병이 있는 환자의 경우 면밀히 분석한 데이터를 의료진에게 보고해 적절한 치료법을 즉시 받을 수 있도록 안내할 것이다. 한 예로 IBM '왓슨'은 환자의 진단정보와 논문 등 각종 의학정보를 분석해 의사에게 적합한 치료법과 근거를 제공하고 있다. 의사는 왓슨의 제안 내용을 바탕으로 최적의 치료법과 우선순위에 따라 환자를 진료하게 된다.

무엇보다 신약 개발 분야에서도 인공지능은 무한한 가능성을 제공할 것이다. 보통 신약 개발에는 많은 시간과 비용을 들여야만 하는데, 인공지능 기술 덕분에 시간과 비용을 절약할 수 있으며, 그동안 개발하지 못했던 희귀 질환을 치료할 수 있는 신약도 앞으로 개발될 가능성이 높다.

국내 신약 개발 분야의 스타트업 '스탠다임(Standigm)'도 인공지능 기술과 시스템 생물학 기술을 접목해 신약 개발 기간을 획기적으로 단축할 수 있는 컴퓨터 모델링 기술을 개발한 바 있다. 스탠다임의 이 기술은 방대한 데이터를 분석해 인간이 생각하기 어려운 패턴을 파악하는 것이 핵심으로, 딥러닝 알고리즘을 기반으로 정보를 분석·통합해 신약이 될 가능성이 가장 높은 후보를 예측해 낸다. 단순히 결과를 예측할 뿐만 아니라, 해당 후보가 어떻게 만들어지는지에 대한 설명까지 제공하는 것으로 알려졌다.

②서비스의 혁신

두 번째 '서비스'의 영역을 조금 더 깊이 살펴보면, 고객에게 직접 제공되는 서비스의 다양한 변화가 예상된다. 즉, 인공지능이 모니터링해서 예측한 건강정보가 알람으로 실시간 제공되어 고객의 행동 변화를 유도한다. 특히 병을 치료하고 있는 환자의 경우 인공지능이 지속해서 데이터를 모니터링하고 있다가 위험을 예측해 환자 및 의사에게 즉시 보고한다. 이로 인해 환자는 즉시 치료 방법과 행동을 개선하게 되고, 의사도 즉시 출동해 환자를 더 빨리 치료할 수 있게 된다.

---

6) 헬스케어를 주름잡는 AI 기술 성공사례 인공지능이 바꾸는 '헬스케어' 산업, TechIssue, 2019.03

또한 인공지능의 분석 및 예측의 정확도 향상을 통해 과잉진료, 오진, 의료사고 등의 문제를 해결할 수 있고, 비용 등의 측면에서 낭비되는 요소를 줄여줄 수 있다. IBM '왓슨'과 같은 인공지능 기술은 병원치료 비용을 약 50% 정도나 감소시킬 수 있을 것으로 예상하고 있다. 따라서 인공지능은 환자 치료 및 관리 능력의 향상으로 헬스케어 시스템의 운영 효율성 향상을 가져올 것이며, 민간 및 공공의 데이터를 통합·분석해 다양한 헬스케어 서비스 상품 출시를 촉진할 전망이다.

마. 인공지능 헬스케어 유망분야[7)]

국내 의료기관에서 인공지능 헬스케어 기술의 유망 활용 분야는 환자의 질병에 대한 진단·예측, 질병치료를 위한 의료영상 이미지 인식 및 진단 시스템, 인공지능 기반 임상실험시스템, 의료 녹취 솔루션, 개인 맞춤형 질병 예측·치료 기술, 질병 진단을 위한 인공지능 보조의사시스템, 노화방지 치료 서비스 등의 분야가 될 것으로 전망된다.

이를 통해 질병의 조기 진단 및 오진 방지, 의사의 의사결정 지원, 의료기록 작성 소요 시간 단축, 환자의 건강 수명 연장의 편익이 발생할 것으로 기대된다. 우리나라는 세계적으로 높은 의료영상진단기기 보급률, 전국민 건강정보 DB를 보유하고 있기 때문에, 의료기관에서의 인공지능 헬스케어 활용은 향후 관련 기술과 개발 시스템의 해외 수출로 연결될 것으로 기대된다. 하지만, 인공지능의 예기치 않은 오류로 인한 잘못된 진단과 처방, 임상연구의 윤리적 문제 봉착 및 개인정보 유출, 의료 양극화 문제발생 등의 우려도 존재한다.

구분	서비스	편익	기회	위협	핵심기술
의료기관	의료 영상 이미지 인식 및 진단	- 암 진단 조기 진단 - 의사의 진단 의사결정 지원	- PACS등 의료 영상진단기기의 높은 보급률	- 인공지능의 예기치 않는 오류, 잘못된 처방	- 영상인식 기술
	인공지능 기반 임상실험	- 개인최적화 치료법 선택 - 신속한 의료, 데이터 검색, 분석 결과 지원	- 전국민 건강정보 DB→다양한 양질의 임상정보 획득 가능	- 임상연구의 윤리·안전 문제	- 머신러닝 - 딥러닝
	의료 녹취 솔루션	- 의료기록 작성 소요시간 단축	- 의료 녹취 시장 확대	- 개인정보 유출	- 머신러닝 - 딥러닝 - 음성인식 기술
	개인 맞춤형 질병 예측치료	- 환자의 건강 수명 연장	- 유전정보와 질환 간의 연관성 예측 가능	- 인공지능의 예기치 않는 오류 → 잘못된 처방	- 머신러닝 - 딥러닝 - 음성인식 기술 - 유전체 분석
	질병 진단 인공지능 보조 의사 시스템	- 정확한 진단 - 오진 방지	- 시스템의 해외 수출	- 인공지능의 예기치 않는 오류 → 잘못된 처방	- 머신러닝 - 영상인식 기술
	노화방치 치료	- 환자의 건강수명 연장	- 항노화 치료 시장 성장	- 의료 양극화	- 머신러닝 - 딥러닝 - 영상인식 기술

[표 3] 국내 의료기관 인공지능 헬스케어 유망 서비스 도출과 편익, 기회, 위협요인 분석

7) 인공지능 헬스케어 국내외 동향 및 활성화 방향, 김문구 외 2명, 한국과학기술연구원

Health IT 기업과 관련된 유망 분야로는 인공지능 수술로봇, 고령자 케어 로봇, 암 진단 시스템, 인공지능 기반 라이프 로그 데이터 활용 건강관리 및 컨설팅 서비스 등을 들 수 있다. 이를 통해, 의료진에 대한 수술 지원, 환자의 최소 절개 수술 및 빠른 회복, 삶의 질 개선 및 건강관리 등의 편익이 기대된다.

인공지능 헬스케어 기술은 인공지능 수술 로봇과 의료 교육 시뮬레이션 시장을 창출하고 고령자 케어로 인한 실버 시장 확대, 암 진단 시스템의 해외 수출 등의 다양한 기회를 제공할 것이나, 인공지능 로봇 도입에 따른 환자의 추가적인 비용부담, 인공지능을 활용한 의료 분야 자율의사결정시스템의 오류와 신뢰성 문제 발생, 개인정보 유출과 같은 문제가 발생할 것으로 우려된다.

구분	서비스	편익	기회	위협	핵심기술
Health IT 기업	인공지능 수술 로봇	- 최소절개 및 빠른 회복시간 - 의사의 수술 지원	- 의료 교육 시뮬레이션 시장	- 비용 부담	- 머신러닝 - 딥러닝 - 영상인식 기술
	고령자 케어 로봇	- 노인의 삶의 질 개선	- 실버 시장 확대	- 로봇의 자율적 의사 결정 → 의도치 않게 인간 생명 영향 우려	- 머신러닝 - 딥러닝 - 영상인식 기술
	암진단 시스템	- 조기 암 진단	- 해외 수출	- 인공지능 시스템 복잡도 증가로 오류 가능성 존재	- 영상인식 기술
	인공지능 기반 개인 라이프로그 분석활용 건강관리 및 컨설팅 서비스	- 건강관리 성과 향상	- 높은 ICT 인프라 - 우수한 IT 기업	- 개인정보 유출	- 머신러닝 - 딥러닝

[표 4] 국내 Health IT 기업 인공지능 헬스케어 유망 서비스와, 편익, 기회, 위협요인 분석

보험사에서는 가입자의 의료, 건강, 유전자 정보를 활용하여 인공지능 기술을 적용한 분야가 유명할 것으로 기대된다. 특히, 개인 맞춤형 보험 상품 개발, 최적의 보험료 산정 및 보험사기 예방 시스템이 유망 분야로 부각될 가능성이 높다.

이를 통해, 보험사는 가입자 특성에 부합되는 최적화된 보험 시스템 개발, 보험관련 업무 시간 단축에 따른 비용절감, 보험사기 방지 등의 편익이 기대된다. 또한, 다양한 보험상품 개발, 보험산업 재정 건전성 확보 등이 예상되나, 개인 정보 유출이 우려되고 보험 설계사의 인력 감축 등 일자리 감소 문제가 우려요인이 될 것으로 전망된다.

구분	서비스	편익	기회	위협	핵심기술
보험사	개인맞춤형 보험상품	- 최적화된 보험가입 - 불필요한 보험차단	- 다양한 보험상품 개발	- 개인정보 유출	- 머신러닝 - 딥러닝
	인공지능 기반 보험료 산정	- 시간단축 가능 - 비용절감	- 보험료 산정시스템 시장 성장	- 개인정보 유출 - 보험설계사 인력 감축	- 머신러닝 - 딥러닝
	인공지능 기반 보험사기 예방시스템	- 보험사기 방지 - 부당 수급 보험금 방지	- 보험산업 건전성 확보	- 개인정보 유출	- 머신러닝 - 딥러닝

[표 5] 국내 보험사 인공지능 헬스케어 유망 서비스 도출과 편익, 기회, 위협요인 분석

제약사의 유망 분야로는 환자 특이적 특성에 기반한 개인 맞춤형 약품 개발, 인공지능과 정밀의료를 결합한 차세대 신약 개발 등이 예상된다. 이를 통해, 환자의 치료효과 향상 및 부작용 감소, 신약개발 기간 단축이 기대되나 인공지능 기술의 오류로 인한 신약의 치명적 결함 등이 우려된다.

구분	서비스	편익	기회	위협	핵심기술
제약사	개인맞춤형 약품개발	- 치료효과 제고 - 부작용 감소	- 새로운 시장창출	- 개인맞춤형 제품의 개발실패 가능성 존재	- 유전체 분석 - 머신러닝 - 딥러닝
	인공지능 기반 신약개발	- 신약개발 성공 가능성 높임 - 신약개발 기간 단축	- 신약개발을 통한 새로운 시장창출	- 인공지능 기술의 오류로 인한 신약의 위험성	- 유전체 분석 - 머신러닝 - 딥러닝

[표 6] 국내 제약사 인공지능 헬스케어 유망 서비스 도출과 편익, 기회, 위협요인 분석

마지막으로 국가 보건기관 측면에서는 전염병 확산 경로 파악과 예측, 국민 라이프 스타일에 맞춘 건강관리시스템, 건강보험 누수 확인 시스템이 유망 분야로 예상되며, 이를 통해 전염병 방지와 국민건강수준의 향상, 재정의 건전성 향상이 기대되나 개인정보 유출 등이 여전히 우려된다.

구분	서비스	편익	기회	위협	핵심기술
국가보건기구	전염병 확산 경로 파악 ·예측	- 국민 건강 안전 확보 - 전염병 예방	- 시스템의 해외 수출	- 관리기구의 전문성 및 인력문제 발생 가능성	- 머신러닝 - 딥러닝
	맞춤형 건강관리 시스템	- 국민 건강수준의 향상	- 전국민 건강정보 DB 보유	- 개인정보 유출	- 슈퍼컴퓨터 - 머신러닝

[표 7] 국내 국가보건기구 인공지능 헬스케어 유망 서비스 도출과 편익, 기회, 위협요인 분석

바. 인공지능

1) 인공지능의 정의

가) 머신러닝과 인공지능[8]

우리는 인공지능을 이야기하기 전, 머신러닝과 인공지능의 관계에 대해 알아볼 필요가 있다. 머신러닝은 인공지능을 구현하는 구체적인 알고리즘으로, 대용량의 데이터에 대해 알고리즘을 적용하고 컴퓨터를 통해 학습시켜 분석 작업을 수행할 수 있도록 기술을 개발하는 분야이다.

이러한 알고리즘을 이용해 데이터를 파악하고, 모델을 적용해 학습하며, 학습한 내용을 기반으로 현상에 대한 판단이나 예측이 가능하고, 아무리 용량이 큰 데이터라도 학습 모델을 빠르게 적용함으로써, 복잡한 분석에서도 정확한 예측 결과를 도출할 수 있다.

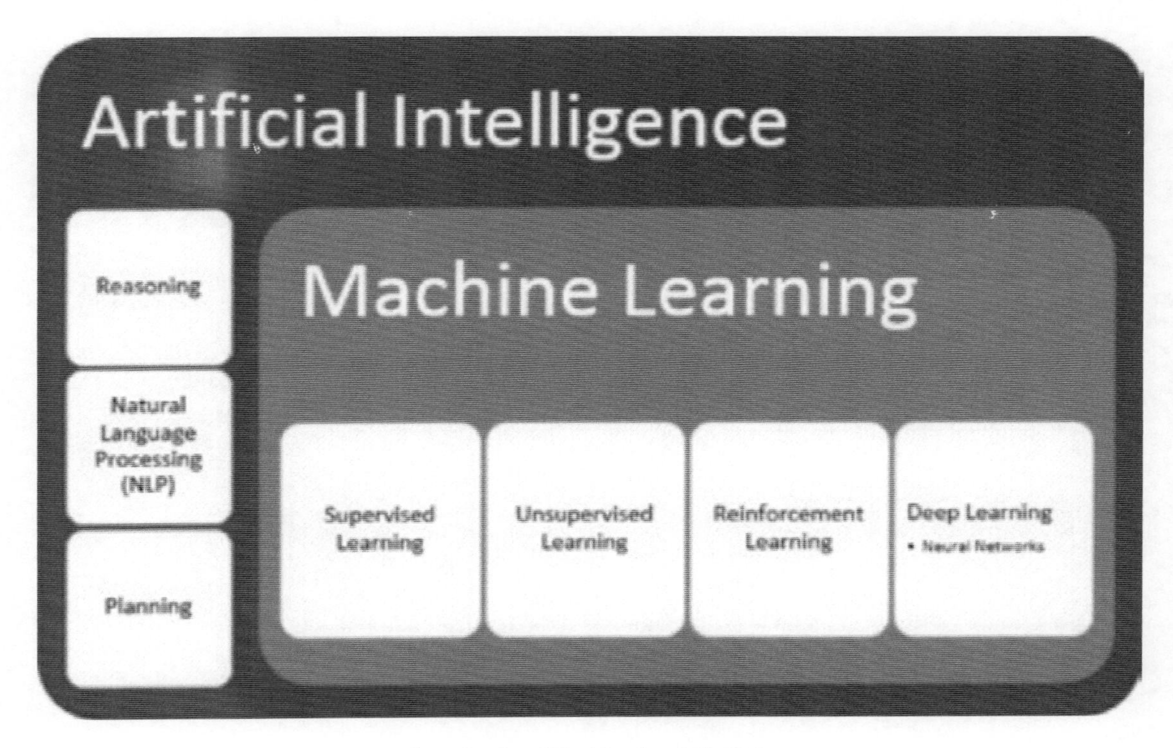

[그림 5] 인공지능과 머신러닝

머신러닝은 의료기관, 연구소, 제약회사 등 헬스케어 주요 분야에서 환자건강 개선을 위한 기술로서 채택되고 있으며, 이를 구현하기 위한 주요 학습방법은 지도학습, 비지도학습, 준지도학습, 강화학습 등이 있다.

8) 헬스케어 분야 머신러닝 기술 활용 및 동향, khidi, 2019.11.18

구분	특징
지도학습 (Supervised Learning)	• 지도학습은 컴퓨터에게 문제(Feature)와 정답(Lable)이 있는 데이터(Training Set)를 학습시켜 사용하는 것으로 타겟변수(Lable)가 존재하는 경우에 사용함 • 분류(Classification)가 전형적인 지도 학습 작업임
비지도학습 (Unsupervised Learning)	• 비지도학습은 지도학습에서 필요했던 레이블이 필요하지 않음 • 사람의 개입 즉 데이터 분류없이 시스템 스스로 학습함 • 데이터에 내재되어 있는 고유의 특징을 탐색 가능하며 클러스터링이 주로 사용됨
준지도학습 (Semisupervised Learning)	• 레이블의 일부만 포함한 데이터를 사용하여 학습 (지도학습과 비지도 학습 중간 형태) • 준지도학습에서는 레이블이 일부만 있어도 데이터를 다룰 수 있음
강화학습 (Reinforcement Learning)	• 알고리즘이 시행착오를 거쳐 어떤 행동이 최대의 보상을 산출하는지 분석 • 딥마인드 알파고가 대표적인 예임
딥러닝 (Deep Learning)	딥러닝은 심층 인공 신경망(Deep artificial neural networks) 분석을 의미하며, 이미지 인식, 음성 인식, 추천 시스템, 자연어 처리와 같은 여러 가지 중요한 문제들에 대한 정확도를 향상시킨 알고리즘임. 은닉층(hidden layer)이 2개 이상인 경우 사용
배치 학습 (Batch Learning)	• 배치 학습에서는 시스템이 지속적으로 학습할 능력이 없으며, 가능한 모든 데이터를 이용하여 한번에 학습해야함 • 처음 시스템을 학습시키고 난 후 더 이상 학습을 하지 않기 때문에 Offline Learning 이고도 불림 • 새로운 데이터를 학습시켜야 할 경우 기존 데이터까지 포함된 데이터를 이용하여 처음부터 학습해야하는 번거러움이 있음 • 많은 컴퓨팅 리소스(CPU, GPU, 디스크 공간, 메모리 공간 등)와 비용이 필요함
온라인 학습 (Online Learning)	• 온라인 학습에서는 데이터들을 미니 배치(mini-batch)라 부르는 작은 묶음 단위로 학습 시스템에 순차적으로 넣어서 학습 • 연속적으로 투입되는 데이터를 받는 시스템에 적합하며, 자율적으로 변화에 대한 수용이 빠름 • 단일 컴퓨터 메인 메모리에 들어가지 않는 거대한 데이터 세트 학습에 사용할 수 있음
사례 기반 학습 (Instance-based Learning)	• 가장 간단한 형태의 학습으로 시스템이 단순히 여러 사례를 메모리에 저장함으로써 학습하며 메모리 기반 학습이라고도 불림 • 저장된 사례 학습을 통해 새롭게 투입된 데이터에서 가장 비슷한 사례들을 찾기위해 사용됨
모델 기반 학습 (Model-based Learning)	• 현재 머신러닝 트렌드의 대부분을 차지하며, 여러 샘플 데이터들의 모델을 만들어 사용하는 방식 • 학습을 통해 유용하다고 판단되면 반복 사용으로 강화시킬 수 있고, 부적절하다고 판단되면 다른 모델을 투입하거나 수정할 수 있음

[표 8] 머신러닝 학습방법

또한 머신러닝은 빅데이터, 클라우드, 사물인터넷과 같은 다양한 기술들과 복합적으로 상호작용하며, 통계학, 데이터 마이닝, 데이터 사이언스 등 다양한 영역과 관련되어있다.

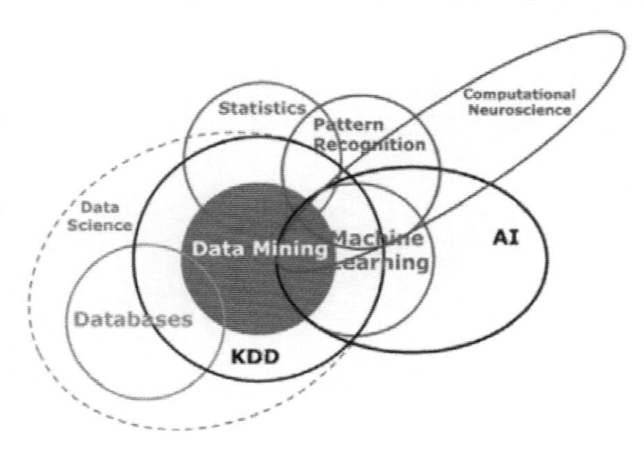

[그림 6] 머신러닝과 관련 기술간 관계

특히, 머신러닝은 빅데이터와의 결합을 통해 데이터의 감지·이해·실행·학습 등 다양한 기능을 수행하며 의료영상 처리, 위험 분석, 진단, 신약 개발 등 헬스케어 산업 전 분야에 적용되어 큰 기여를 하고 있다. 이에 대해 조금 더 자세히 살펴보면, 머신러닝과 빅데이터를 통해 의료·보건기관에서는 환자의 질병을 진단·예측·치료하며 전염병의 확산 경로를 파악하고 예측하며, 보험사에서는 개인 맞춤형 보험 상품을 개발하고 보험사기 가능성을 탐지한다. 제약사에서는 신약개발 과정의 효율성과 정확성을 제고하며, 의료IT에서는 각종 진단 시스템을 개발하고 개인 건강관리 서비스를 지원한다.

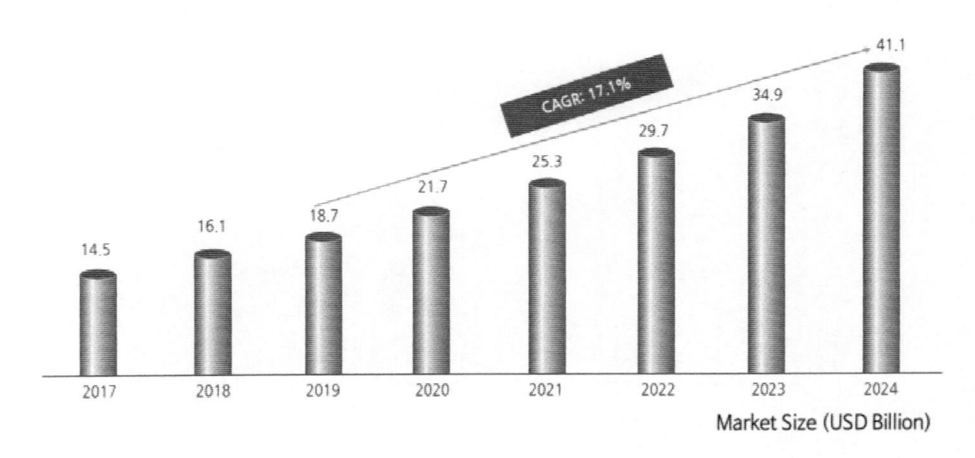

[그림 7] 헬스케어 분야 데이터 분석·저장·관리 시장 성장률

최근 헬스케어 분야의 데이터 생산과 관련 시장규모는 지속적으로 확대되고 있으며, 세계 주요국의 인공지능&머신러닝 관련 정책적 지원 및 기술 개발은 계속 이어질 것으로 보인다.

나) 인공지능의 목표

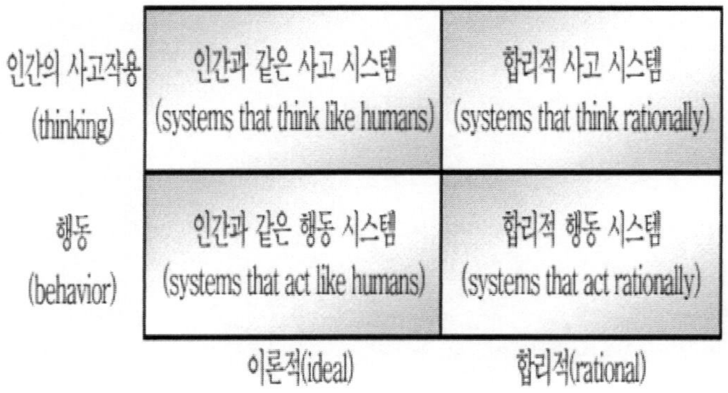

	이론적(ideal)	합리적(rational)
인간의 사고작용 (thinking)	인간과 같은 사고 시스템 (systems that think like humans)	합리적 사고 시스템 (systems that think rationally)
행동 (behavior)	인간과 같은 행동 시스템 (systems that act like humans)	합리적 행동 시스템 (systems that act rationally)

[그림 8] 인공지능시스템

인공지능은 여러 학자들에 의해 개념이 정의되고 있으며, 인공지능의 목표는 위의 그림과 같이 thinking, behavior, ideal, rational의 조합으로 인간과 같은 사고 시스템, 인간과 같은 행동 시스템, 합리적 사고 시스템, 합리적 행동 시스템으로 분류된다.9)

① 인간과 같은 사고 시스템

이론적으로 인간과 같은 사고를 하는 기계를 만들기 위해 인간의 사고 작용을 연구한 후, 이로부터 성립된 가설을 시스템을 통해 실현하는 것이다. 이러한 연구를 진행하는 분야를 우리는 인지과학(Cognitive science)라 한다. 인지과학은 인공지능에 기초한 컴퓨터 모델을 만들어 실제 실험을 통해 인간의 사고 작용을 모방하려고 시도하는 분야이지만 인간의 사고 작용은 오묘하고 복잡해서 이를 컴퓨터로 모델링하기가 쉽지 않다. 따라서 인지과학이 성공을 거두기 위해서는 여러 번의 사고 실험을 통한 조사와 연구가 필요하다.

② 인간과 같은 행동 시스템

그리스의 철학자 아리스토텔레스는 '소크라테스는 사람이다. 사람은 죽는다. 그러므로 소크라테스도 죽는다.' 라는 합리적 사고의 논리적인 과정을 제안하였다. 이와같은 소크라테스적인 논리적 흐름에 기초하여 인간의 사고 과정을 컴퓨터로 프로그래밍화 하고자 하는 것이 인간과 같은 행동 시스템의 목표이다. 이를 위해서 인간의 비 형식적인 언어를 논리 시스템에 적용하기 위해 형식적인 언어로 변환하는 과정과 이미 저장된 지식들을 기반으로 새로운 입력에 대한 적당한 결론을 추론하는 과정이 필요하다.

③ 합리적 사고 시스템

과거 튜링(Turing)은 지능적인 행동을 '모든 인지적인 작업들에서 인간과 같은 수준의 성능을 이루어 내는 능력'이라고 표현했다. 튜링은 1950년 '튜링 테스트'를 제안했는데, 이는 기계와 인간이 얼마나 비슷하게 대화할 수 있는지를 기준으로 기계의 지능을 판별하는 테스트이다. 즉, 합리적인 사고를 하는 시스템은 튜링 테스트를 통해 인간과 구분이 되지 않는 시스템이라 할 수 있고, 인공지능의 궁극적인 목표로 볼 수 있다.

9) 조영임, 홍릉과학 출판사, 2012

④ 합리적 행동 시스템

인간의 사고와 행동은 외부 환경에 의존적이고 상황에 따라 다른 결과를 보이기 때문에 명백하게 정의하기가 힘들다. 반면, 합리적 행동 시스템은 주어진 확률 정도에 따라 행동하기 때문에 좀 더 정의하기 쉽고 명백하다고 볼 수 있다.

다) 인공지능의 분류

인공지능을 발전 단계와, 산업 단계별로 구분해보면 다음과 같이 구분할 수 있다.

① 발전 단계

맥킨지(Mckinsey)에 따르면 인공지능 발전 단계는 약한 인공지능, 강한 인공지능, 슈퍼 인공지능 3단계로 나누어서 볼 수 있으며, 현재 인공지능 기술의 수준은 약한 인공지능 단계에 해당한다.

구분	내용
약한 인공지능	인간과 같은 지능이나 지성을 갖추고 있지는 않으나 특정 목적에 최적화된 알고리즘과 적당한 규칙 등을 설정해 운영되는 시스템적인 인공지능 단계로, 로봇 청소기, 번역 시스템, 알파고와 같이 특정 임무를 수행
강한 인공지능	어떤 문제를 실제로 사고하고 해결할 수 있는 인공지능 단계로 컴퓨터 프로그램이 인간과 같이 생각하고 행동하는 인간형 인공지능을 지칭
슈퍼 인공지능	자아 의식이 있는 단계로, 독립자주적인 가치관, 세계관 등을 소유하고 있으며 해당 단계는 기술 발전 이외에도 생명과학에 대한 전반적이고 깊은 이해가 필요할 것으로 보이는 단계로 현재는 문화작품에만 존재

[표 9] 인공지능의 발전단계를 통한 분류

② 산업 단계

인공지능산업은 인공지능의 '기본 시스템'을 바탕으로 컴퓨터가 시스템을 활용해 '핵심 기술'을 갖추고, 다양한 산업에 제품으로 '응용'되는 3단계로 나누어 볼 수 있다.

구분	내용
1단계 기본시스템	데이터, 반도체 칩, 감응신호장치, 사물인식 기술, 클라우드 컴퓨팅*
2단계 핵심기술	음성인식, 컴퓨터 비전**, 자연언어처리***, 머신 러닝 등이 있음. 핵심기술을 활용해 듣고, 보고, 이해해 분석과 판단을 통해 스스로 행동할 수 있도록 함.
3단계 응용	인공지능의 하나 또는 다양한 핵심기술들이 의료, 금융, 보안 등 다양한 분야에 응용

[표 10] 인공지능의 산업단계를 통한 분류

2) 인공지능의 주요 기술 요소와 동향[10)]

인공지능 구현방식	기술 요소
1. 합리적으로 생각하기 2. 인간처럼 생각하기 3. 인간처럼 행동하기 4. 합리적으로 행동하기	① 학습지능: 기계가 새로운 환경에 적응하고 패턴들을 감지하고 추정한다.
	② 추론/표현 지능: 기계가 아는 것, 들은 것을 저장한다. 질문에 답하거나 새로운 결론울 유도하기 위해서는 저장된 정보를 사용한다.
	③ 음성인식/이해지능: 기계가 대화하는 것을 가능하게 한다.
	④ 시각지능: 기계가 물체를 지각한다.

[표 11] 인공지능 주요 기술 요소

가) 학습지능

기계학습 분야에서는 오랫동안 데이터로부터 특정 업무를 수행하기 위한 정보를 학습시키려는 연구들이 진행되어왔고, 그 결과 다양한 학습 모델과 알고리즘이 개발되었다. 하지만, 2000년대 후반부터 딥러닝 기술이 발전하면서 다양한 테스트에서 다른 방법들을 압도하는 높은 성능을 보였고, 점차 응용 영역을 넓혀가고 있다.

딥러닝은 인간 뇌의 정보처리 과정을 수학적인 모델링을 통해 모사한 모형으로, 주로 깊은 신경망을 이용하여 구현하는데, 복잡하고 변화가 많은 응용분야에서 탁월한 성능을 보인다.

딥러닝은 2016년을 기점으로 경쟁의 형태가 변화했는데, 2016년 초까지는 딥러닝의 깊이와 성능에 대한 경쟁이 진행되었으나, 알파고의 출현 이후 학습의 경쟁으로 전환되었다.

알파고의 등장은 강화학습의 등장으로도 볼 수 있는데, 강화학습의 학습 방식은 기존의 방식과 매우 다르다. 기존의 지도 또는 비지도 학습의 경우 전문가에 의해 학습할 데이터가 정해지는 것이었다면, 강화학습은 인공지능 자체가 현재의 환경에서 보상을 극대화하기 위해서 필요한 데이터를 수집해가면서 학습을 진행하는 동적인 것이라고 할 수 있다.

10) 인공지능 기술 동향, 박승규, 2018

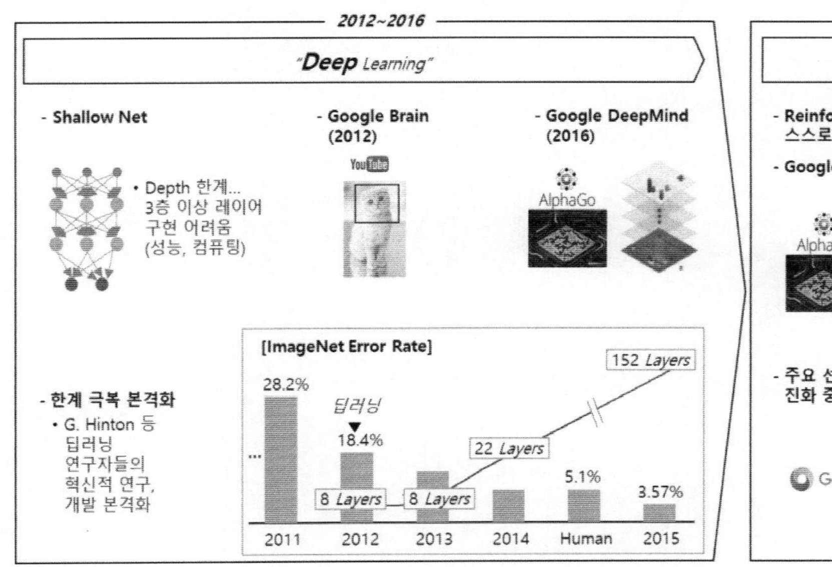

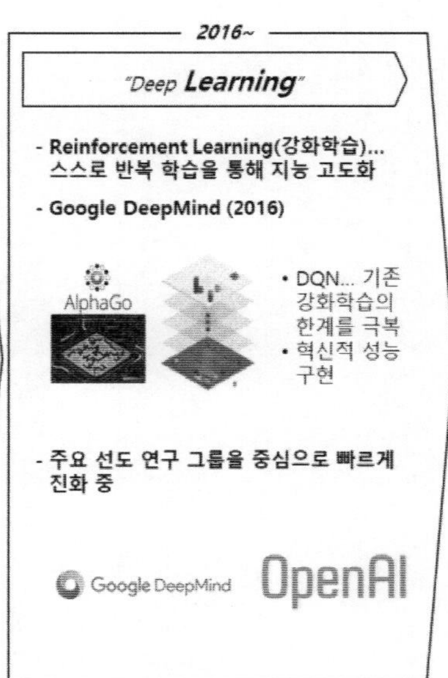

[그림 9] 딥러닝의 경쟁 핵심 변화

강화학습 기반의 인공지능은 빠르게 발전해 왔지만 강화학습이 한계가 없는 것은 아니다. 앞서 강화학습은 "보상을 극대화"한다고 표현했으나, 실은 이렇게 작동하도록 하는 보상 함수를 설계하는 것은 매우 어렵다. 따라서 강화학습의 주요 연구들은 Multi Agent, Meta Learning, Continuous action, Imitation learning 등 한계를 극복하기 위한 다양한 방면으로 추진되고 있다.

인공지능의 기술 중 하나인 학습기능의 산업화 사례로는, 대규모 데이터센터를 운영하면서 성능과 에너지 최적화를 위해서 기계학습을 활용한 구글의 사례를 들 수 있다. 데이터센터의 서버와 장비들의 사용 시간 및 에너지 사용량을 측정한 후 이 데이터들의 기계학습을 통해 장비들과 냉각 시스템을 운영하였다. 그 결과 높은 정확도(99.6%의 PUE(Power Usage Effectiveness) 예측), 에너지 절감 등 데이터센터 운영 효율을 크게 개선하였다.

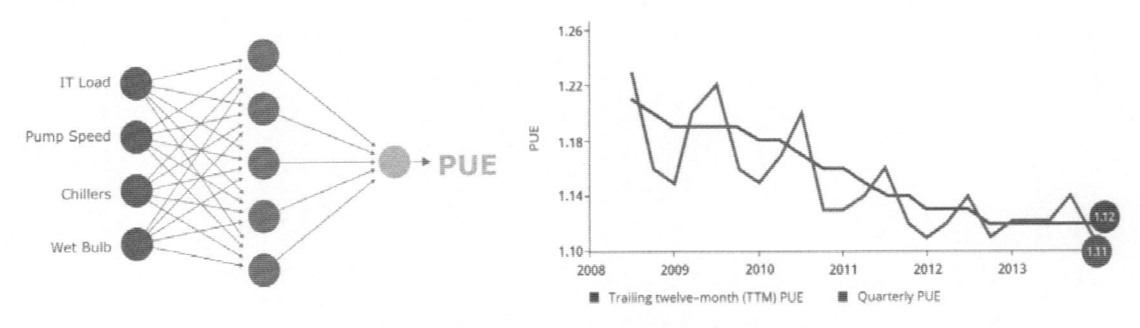

[그림 10] 구글 기계학습 기반 데이터센터 운영사례

나) 추론/표현지능

추론/표현지능은 어떤 사실이나 정보를 기계와 인간이 모두 이해할 수 있는 형태로 나타내고, 기지의 정보들을 바탕으로 새로운 정보를 유도해 내는 것과 관련된 기술을 다룬다. 지식 표현분야에서는 규칙, 프레임, 의미망 등의 기존 개념들을 모두 통합한 온톨로지(Ontology)라는 체계가 대표적으로 활용되고 있다.

추론은 인공지능과 일반 소프트웨어를 구분하는 핵심이라 할 수 있으며 딥러닝의 등장과 함께 최근 가장 빠르게 발전하고 있는 분야라고 할 수 있다. 2016년 발표된 "Ask me Anything"이라는 논문을 보면 인공지능은 주어진 정보들을 바탕으로 질문과 관련된 새로운 정보를 조합하여 답을 제시한다. 이는 사람들에게는 간단한 문제지만, 기존의 인공지능 기법으로 기계에 추론 문제 해결능력을 갖게 하는 것은 매우 어려운 일이다.

I: Jane went to the hallway.
I: Mary walked to the bathroom.
I: Sandra went to the garden.
I: Daniel went back to the garden.
I: Sandra took the milk there.
Q: Where is the milk?
A: garden

[그림 11] 추론문제

기존의 인공지능 추론 엔진들은 대부분 인간의 개입을 상당 수준 필요로 하며, 성능 면에서도 한계가 있다. 구글의 지식 그래프, 애플 Siri의 기반은 울프람 알파 등이 그 예이다. 그러나 최근 딥러닝 기반의 추론 엔진들은 문제 해결에 필요한 정보를 자체적으로 조합하여 추론에 활용하므로 인간의 개입 필요성이 최소화 되었다.

2017년 발표된 "A simple neural network module for relational reasoning"이라는 논문에서는 문자 정보뿐만 아니라 다양한 주변 사물들을 인식하고 서로 간의 상대적인 관계까지를 추론하고 있으며, 더 나아가 다음에 올 상황을 예측하는 인공지능이 제안되어 있다. 이는 인공지능이 매 순간의 행동이 미래에 미칠 영향을 예측하여 최적의 행동을 선택하고, 현재 시점에서 다소 손해가 되더라도 장기적으로 최종 목적 달성을 위해 필요하다고 판단되면 행동하는 것이다. 결국, 제안된 알고리즘은 인간처럼 미래를 예측하며 장기적 관점에서 계획하고 행동하는 인공지능을 의미하며, 인간의 행동 패턴을 닮은 인공지능 구현의 시작이라고 할 수 있다.

향후 생물학적 기능 모방 기술, Brain Imaging 기술 등의 최근 예에서 보는 바와 같이 인간의 뇌와 같은 컴퓨팅 시스템을 개발하는 연구가 가속화될 것으로 보인다. 특히나 이 분야는 '인지 컴퓨팅'이라 하여 심리학, 생물학, 물리학, 수학, 통계, 정보이론 등 인문학으로부터 공

학에 걸친 다양한 학제가 아우러진 연구가 진행되고 있으며, 멀지않은 장래에 사람처럼 생각하고 행동하는 인공지능을 구현할 수 있을 것으로 기대된다.

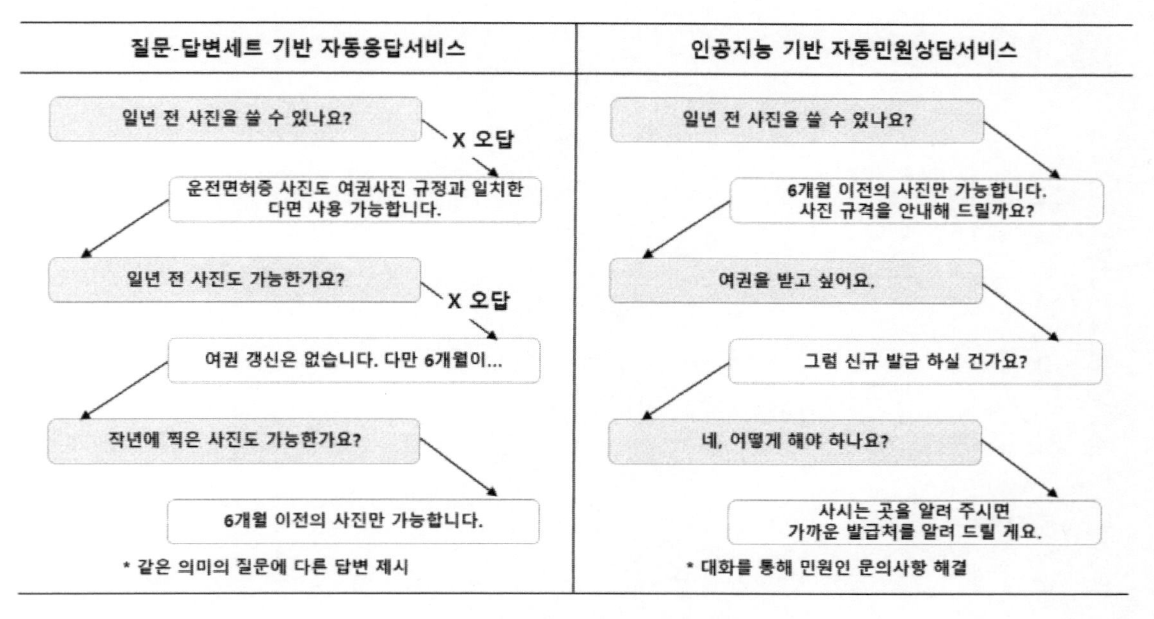

[그림 12] 지능형 상담시스템

추론/표현지능의 대표적인 산업화 사례는 '챗봇(ChatBot)'을 들 수 있다. 챗봇은 사람과의 문자 대화를 통해 질문에 알맞은 답이나 각종 연관 정보를 제공하는 인공지능 기반의 커뮤티케이션 소프트웨어를 지칭한다.

챗봇은 다양한 민원상담 질문에도 관련 정보를 제공할 수 있도록 자연어처리, 질의의도 분석, 답변생성 부분에 최신 인공지능 대화로봇 기술을 적용한 지능형 상담시스템으로, 기존에 운영중인 자동 민원 상담 서비스의 경우 대부분 사전에 정해진 문답 세트 기반으로 서비스를 구축하여 한정된 질문 외에는 답변할 수 없는 문제가 있었으나 인공진으 챗본 도입을 통해 문제를 해결함과 동시에 주민 밀착형 서비스가 가능할 것으로 기대된다.

다) 음성인식/이해지능

음성인식 분야의 연구는 매우 오래전부터 진행되어 왔지만 현재까지도 완전히 자유로운 대화가 가능한 수준까지는 구현되지 못하고 있다. 언어 인식 분야의 인공지능 발전이 빠르지 못했던 것은 기존의 기법인 온톨로지 언어 모델은 사람 중심의 방법론이고 언어의 확장성 또한 낮다는 큰 단점을 가지고 있었기 때문이다. 하지만 최근 딥러닝이 적용되면서 과거와 달리 사람에 의존하지 않고 인공지능이 데이터에 기반한 학습을 통해 스스로 언어를 이해하는 방식으로 전환하여 좋은 성능을 보이고 있다.

인간이 일상적으로 사용하는 언어를 기계적으로 분석하여 컴퓨터가 이해할 수 있는 형태로 만들거나 혹은 그러한 형태를 다시 인간이 이해할 수 있는 언어로 표현하는 기술을 자연어처리 기술이라 한다. 1950년대 음성인식 기술 연구와 동시에 자연어처리 기술의 연구가 시작되어 현재는 사용화 단계에 거의 도달한 것으로 평가되고 있다.

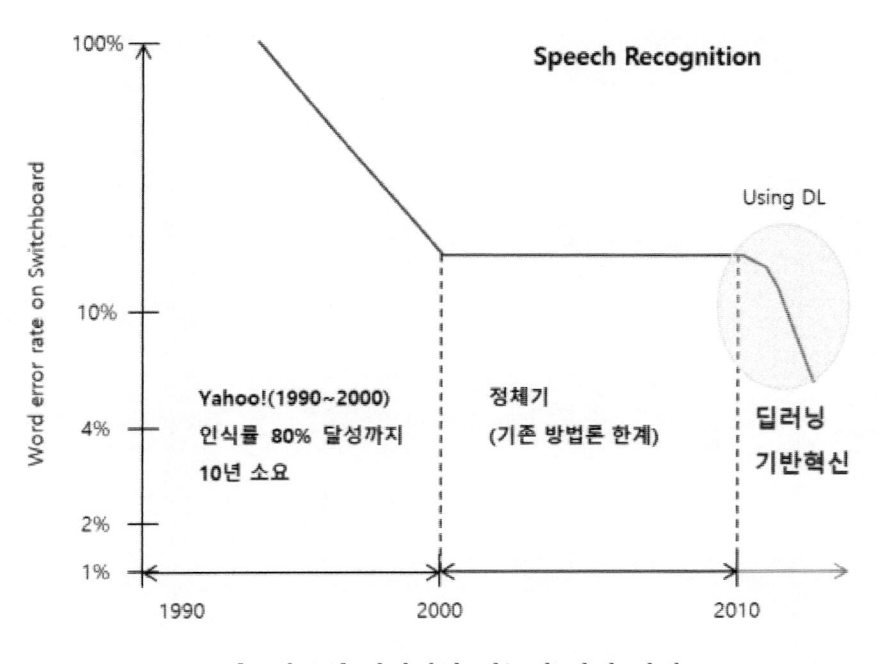

[그림 13] 언어인식 지능의 발전 과정

구글(구글 어시스턴스), 애플(Siri)등 글로벌 기업들이 개발한 프로그램들은 이미 자연어 처리를 능숙하게 구사하는 단계에 있다. 우리나라도 한국전자통신연구원이 개발한 엑소브레인이 2016년 EBS장학퀴즈에서 인간 퀴즈왕 4명과 대결을 펼쳐 우승하면서 자연어처리 분야에서 세계적 수준의 독자적인 인공지능 기술을 확보할 수 있는 가능성을 보여주기도 했다.

기계번역은 자연어처리 분야에서 또 하나의 중요한 기술 분야이다. 인공신경망 기반의 기계번역을 NMT(Neural Machine Translation)라 부르는데 기존의 통계 기반의 기계 번역 SMT(Statistical Machine Translation)와는 전혀 다른 방식으로 번역을 수행한다.

SMT는 마치 퍼즐조각을 맞추는 작업에 비유된다. 단어나 구 단위로 번역이 수행되기 때문에 번역과정이 이산적이고 국소적 결정에 기반을 둔 선택을 한다. 반면, NMT는 그림을 그리는 과정에 비유된다. 문장 전체 정보를 문장 벡터로 변환하고 번역하기 때문에 연속적이고 전체적 결정에 기반한 선택을 할 수 있다.

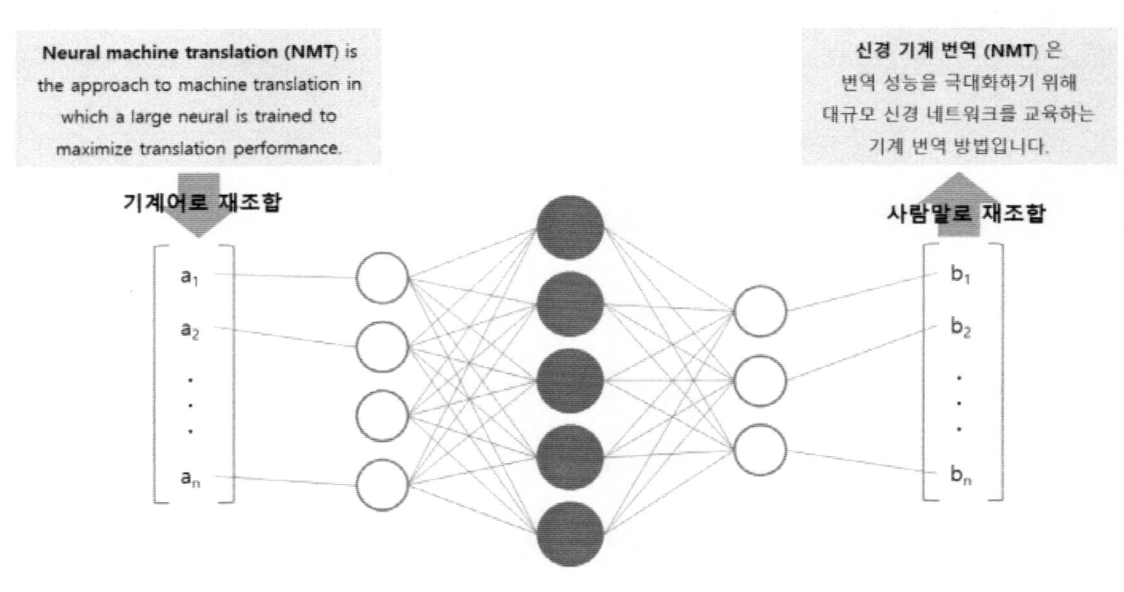

[그림 14] 인공 신경망 기계 번역

인공신경망 방식의 기계 번역 기술은 2016년 후반기에 구글, 바이두, 네이버 등 몇 개의 기업에서 소수의 언어 쌍에 대해서만 서비스를 시작했고, 2017년에는 번역언어 쌍이 점점 늘어났다. 전 세계의 연구원들이 NMT의 품질 개선을 위해 어텐션 모델, 새로운 번역 프레임워크, 인공신경만 기본 구조 등 다양한 연구 분야에서 노력하고 있으며 빠른 속도로 기술이 발전하고 있다. NMT는 번역결과가 틀렸을 때 원인을 파악하기 어려운 문제가 있다. 그래서 번역과정을 이해하는데 도움을 주는 시각화 도구에 대한 연구의 중요성이 높아지고 있다.

주요 산업화 사례로는 자동 통역 기술을 들 수 있으며, 특히 최근에는 통역 기술을 헤드셋이나 이어폰과 결합하여 대화를 나누려는 사람들이 헤드셋을 착용한 후에 한 사람이 한국어로 말하면 상대방의 헤드셋에는 번역된 말이 들리도록 하는 제품까지 소개되고 있다.

라) 시각지능

시각지능이란 사물을 인지하고 시공간적으로 상황을 파악할 수 있는 능력을 의미하며, 직관적으로 사물을 인식하는 능력과 심층적 사고에 의한 인지 능력으로 나뉜다. 직과적으로 사물을 인식하는 능력은 학습(경험)에 의해 사물의 특징과 내용을 정확히 이해하는 것이며, 심층적 사고는 낯선 장면이나 감춰진 사물을 인식하기 위해 주변 상황으로 유추하는 능력을 의미한다.

최근, 인간의 눈에 해당하는 사물 인식 분야에서는 이미 인간 수준을 넘어서는 인공지능이 구현되고 있다. 사물 인식 정확도를 경쟁하며 매년 열리고 있는 ImageNet 경진대회에서 이미

2015년 마이크로소프트가 96.43%의 정확도를 달성하여 인간의 인식률(94.90%)를 추월하였고, 2017년에는 정확도가 97.85%에 달했다.

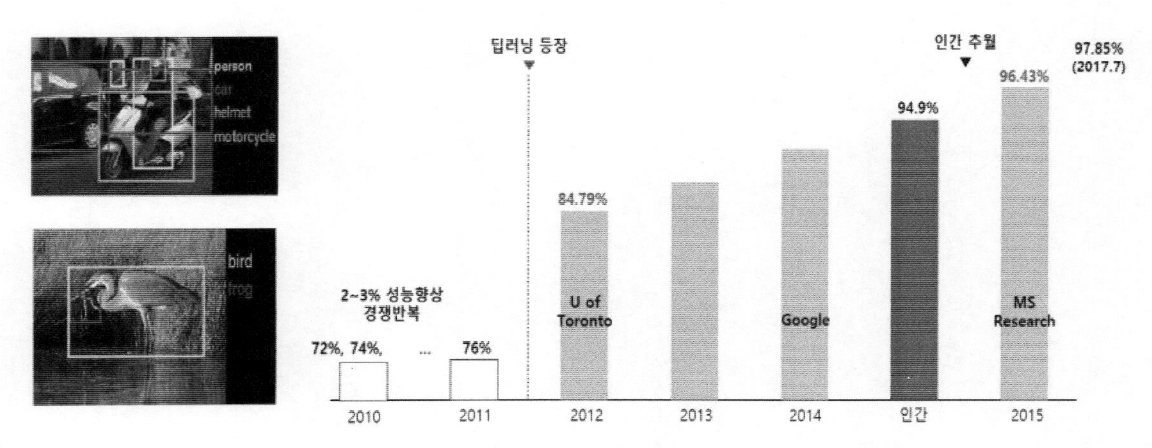

[그림 15] 시각 인식 지능의 발전, ImageNet 경진대회 결화

한편, 딥러닝이 등장한 이후 행동 인식 연구가 활발히 진행되고 있으며 특히, 영상 인식을 위해 제안된 알고리즘인 CNN(Convolutional Neural Network)은 행동 인식에서도 대표적으로 활용도되고 있다.

이외에 CNN의 약점(과거의 정보를 기반으로 현재의 상태를 판단하는 데 적합하지 않음)을 보완하기 위해 RNN(Recurrent Neural Network), LSTM(Long Short Term Memory)등의 새로운 알고리즘들이 제안되는 등 행동 인식 지능을 개선하고 있다.

[그림 16] 딥뷰 사업추진계획 및 목표 시스템

우리나라의 경우 인공지능 국가전략 프로젝트 '딥뷰'를 2014년에 시작하여 5년차를 맞이하고 있다. 딥뷰는 전체 3단계로 진행되고 있으며, 1단계에서 다중객체·행동을 동시에 분석하는 시각지능 SW를 개발하고, 2단계에서는 영상 내용을 인해하는 기술을 통해 도시 규모의 영상을 이해하는 시각지능 SW 개발을 목표로 하고 있다. 마지막 3단계에서는 복합 상황 이해 및 예측 기술을 갖춘 시각지능 SW를 개발하여 글로벌 시장에 진출하는 것을 목표로 한다.

3) 설명 가능한 인공지능[11)]

설명 가능한 인공지능(eXplainable AI, XAI)이란 인공지능의 행위와 판단을 사람이 이해 할 수 있는 형태로 설명할 수 있는 인공지능 기술을 의미한다. 설명 가능한 인공지능은 1970년대부터 인공지능의 블랙박스의 한계를 해결하고자 시작된 연구로, 인공지능이 내린 최종결과를 사용자가 정확히 이해하고 해석 할 수 있도록 확장된 개념의 인공지능 기술이다.

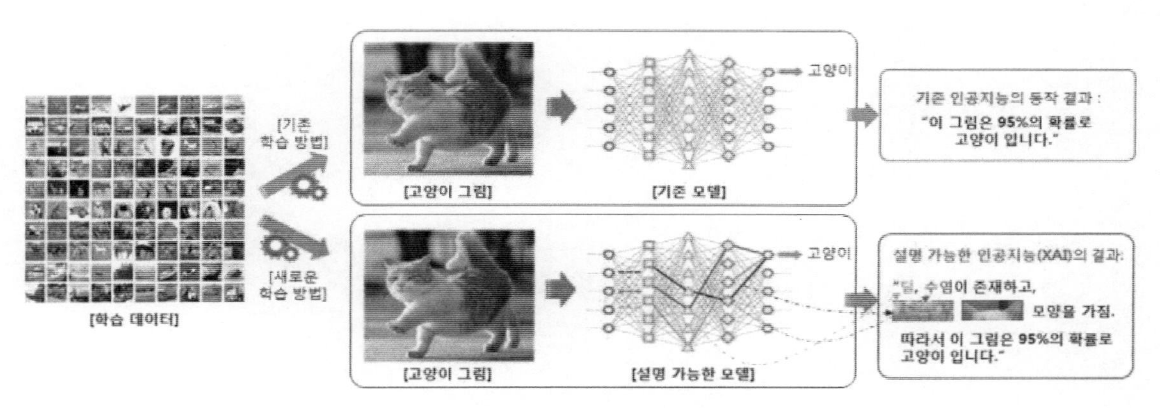

[그림 17] 설명 가능한 인공지능(XAI)의 예

설명 가능한 인공지능은 기존 인공지능과 달리 머신러닝에 XAI 기술을 결합해야만 모델에 대한 해석이 가능하며, 이를 구현하기 위해서는 '설명 가능한 모델'과 사용자가 이해할 수 있도록 설명하는 '설명 가능한 인터페이스' 기술이 필요하다.

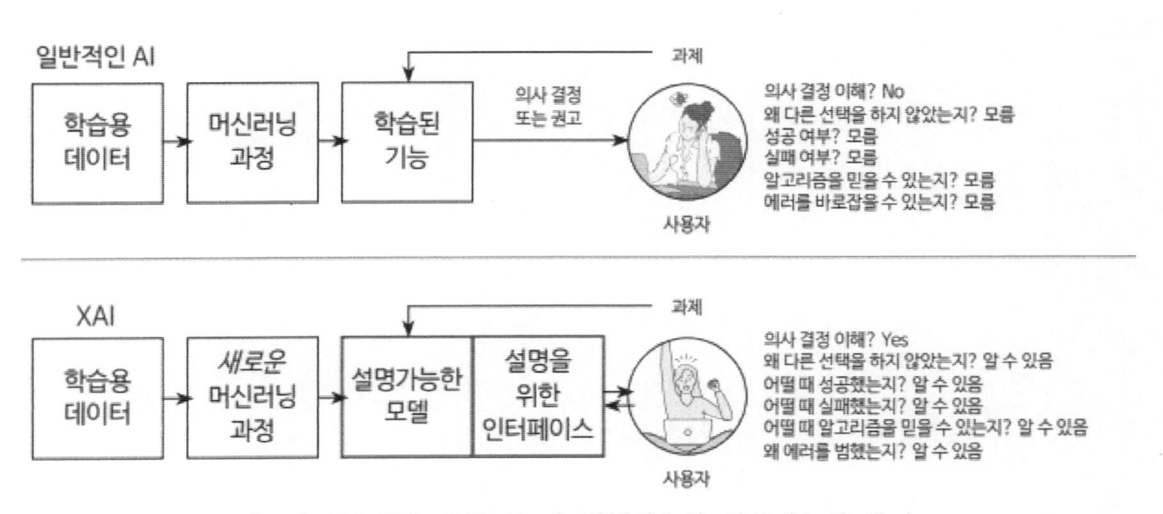

[그림 18] 일반 인공지능과 설명가능한 인공지능의 차이

11) 의료 인공지능의 한계를 뛰어넘는 설명 가능한 인공지능 기술, XAI, 보건산업브리프, Khidi, 2021.11.01

가) 설명 가능한 인공지능의 기술적 접근

설명 가능한 인공지능의 기술적 접근에는 기존의 알고리즘에 설명을 위한 알고리즘을 더하거나 혹은 판단 결과와 함께 데이터 처리 과정까지 보여줄 수 있는 새로운 설명가능 모델 개발 등 다양한 XAI 기술이 등장하고 있다.

① 기존 학습 모델 변형

기존 학습 모델 변형은 설명 가능한 특징 값을 학습할 수 있도록 기존 학습 모델 '수정'하거나 '역산 과정'을 추가하는 방식이다. 따라서 학습모델 내 노드에 의미 있는 속성(예: 고양이, 개 등의 발톱, 톳수염 등)을 연결 후 학습하여 분류결과에 대한 근거를 제공하는 등으로 사용된다.

② 새로운 학습 모델 개발

새로운 학습 모델 개발은 데이터 처리 과정을 확인할 수 있도록 기존 알고리즘 외에 설명을 위한 알고리즘을 더하거나 혹은 판단결과와 함께 데이터 처리과정까지 보여줄 수 있는 새로운 설명모델을 개발하는 것이다. 예를 들어 사람이 하나의 예만으로 새로운 개념을 배워서 사용할 수 있는 것처럼 사람이 개념을 익히는 과정을 베이지안 방법(Bayesian Program Learning)으로 추론하여 필기체 인식에 적용하는 등으로 사용된다.

③ 학습 모델 간 비교

학습 모델 간 비교는 타 학습모델과 비교하여 예측결과에 대한 근거를 제시하거나 결정과정을 통해 설명 가능 모델을 생성하는 것이다. 예를 들어 기존 블랙박스 속성의 머신러닝 알고리즘을 설명 가능한 타 학습모델과 비교하여 예측한 결과에 대한 근거를 제공하는 등으로 사용된다.

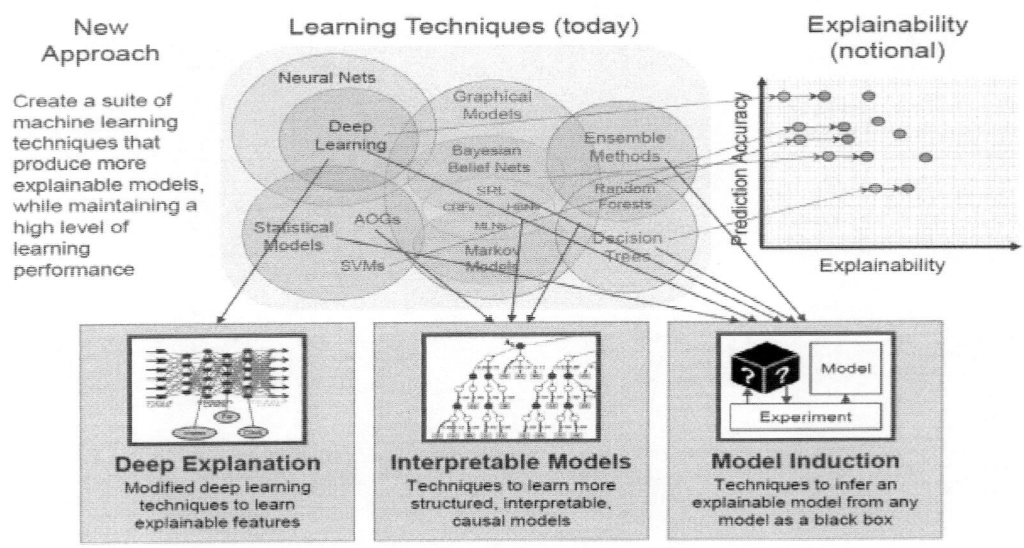

[그림 19] 설명 가능한 인공지능 모델의 3가지 기술적 접근 방식

나) 설명 가능한 인공지능 모델 설명/해석 방법

설명 가능한 인공지능은 ① 특성 중요도(feature Importance), ② 부분 의존성 플롯(partial dependence plots), ③ 대리 분석(surrogate analysis) 등의 기법으로 데이터와 모델을 설명한다.

① 특성 중요도

특성 중요도는 데이터 특성이 알고리즘의 정확한 분류에 얼마나 큰 영향을 미치는지 분석하는 기법으로, 특정한 값을 임의의 값으로 치환했을 때 원래 데이터보다 예측 에러가 얼마나 더 커지는가를 측정한다.

② 부분 의존성 플롯

부분 의존성 플롯은 어떤 특성이 예측모델의 타겟 변수에 어떤 영향을 미치는지 알기 위한 방법으로, 관심 있는 특정 값에만 변화를 주고 사용자가 중요하게생각하는 변수들이 어떻게 연산하고 있는지 시각적으로 제시한다.

③ 대리 분석

대리 분석은 복잡하고 설명하기 힘든 블랙박스 모형을 단순하고 설명하기 쉬운 대리모형으로 대신 설명하는 방법이다. 글로벌 대리분석은 모델이 예측하는 모든 결과를 설명하는 방식으로, 모듈 레벨에서 모델의 한 모듈이 예측 결과에 어떻게 영향을 미치는 설명하는 범위도 포함한다. 로컬 대리분석은 특정한 의사결정 또는 하나의 예측 결과만 설명하는 방식으로 이슈가 발생한 예측만 설명하기 때문에 글로벌 대리분석 보다 실용적이다.

다) 설명 가능한 인공지증 기술 전망

설명 가능한 인공지능 기술의 경제적 가치는 인공지능 서비스에 대한 윤리적 이슈 대응, 투명성, 규정준수 요구사항 충족으로 파생될 수 있다. 데이터의 윤리적 사용 측면에서 잘못된 결과를 도출하는 원인을 밝힘으로써 알고리즘이 공정하고 윤리적인지 입증 가능하여 기존의 인공지능 사용에 대한 불안감 해소할 수 있으며, 인공지능 알고리즘이 도출하는 결과에 결정적으로 영향을 미치는 중요한 요인이 무엇인지 투명하게 밝히고, 규정 준수에 필요한 요구사항을 충족시키는데 활용함으로써 인공지능 서비스 가치를 발생시킬 수 있다.

03. 인공지능 헬스케어 시장 동향

3. 인공지능 헬스케어 시장 동향

최근 헬스케어 산업은 인공지능, 빅데이터, 사물인터넷 등 4차 산업의 핵심기술들과 융합하고 있다. 특히 고령화 시대에 접어들면서 양질의 헬스케어에 대한 관심이 증가하고 있어 지속적인 시장의 성장이 예측된다.

가. 세계 시장 동향

GIA(Global Industry Analysts)에 따르면, 글로벌 디지털 헬스케어 시장은 2020년 1,520억 달러(약 182조 원)로 세계 반도체 시장 규모인 4,330억 달러의 35%에 해당하는 규모이며, 이후 연평균 성장률 18.8%로 성장하여 2027년 5,090억 달러(약 610조 원) 규모에 이를 것으로 전망된다. 이는 글로벌 제약시장의 평균 성장률 3%과 비교하면 6배가 넘는 큰 성장이다. 디지털 헬스케어 시장은 스마트폰 및 IoT 기반 웨어러블 기기 등과 함께 성장기에 접어들었으며, 의료기기 전문업체뿐만 아니라 글로벌 ICT 기업, 스타트업에 이르기까지 다양한 기업들의 시장 진출로 인해서 그 성장이 가속화되고 있다.

GIA는 디지털 헬스케어 산업을 크게 모바일 헬스케어, 디지털 헬스시스템, 헬스분석, 원격의료 4가지 영역으로 구분하고 있는데, 각 영역별로 살펴보면 2021년 말 기준 모바일 헬스케어가 가장 큰 규모를 차지하였고, 디지털 헬스시스템, 헬스분석, 원격의료 순으로 시장을 형성하고 있다. 향후 성장률 측면에서는 원격의료가 연평균 30.8%, 디지털 헬스시스템 20.5%, 헬스분석 18.9%, 모바일 헬스케어 16.6% 순으로 높은 성장추이를 보일 것으로 전망되어, 특히 COVID-19 이후 원격의료 시장이 본격적으로 성장세에 접어들 것으로 예상된다.

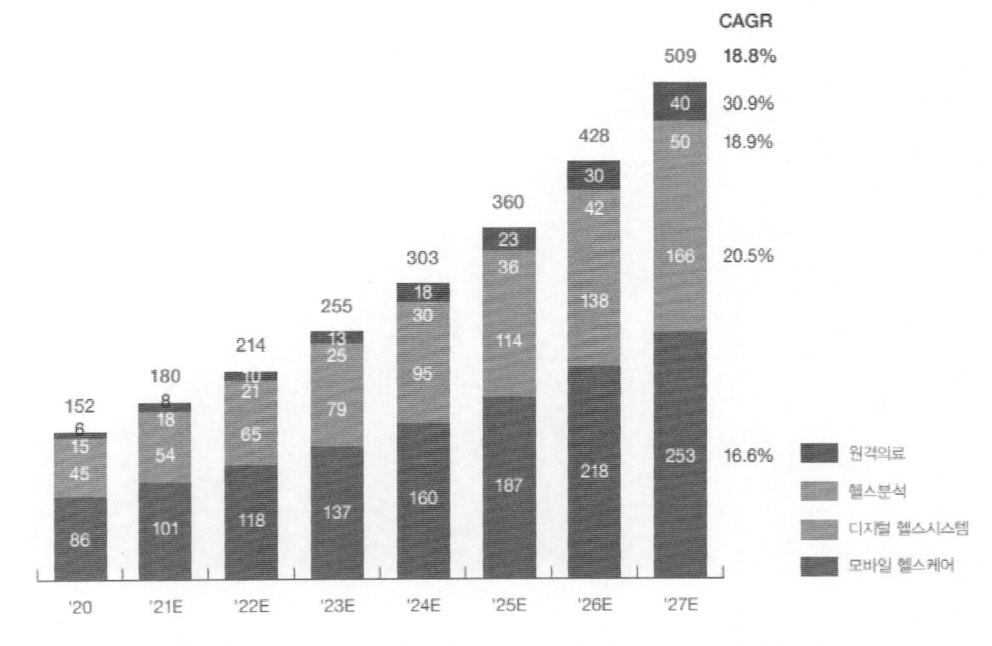

[그림 20] 디지털 헬스케어 글로벌 시장 현황 및 전망 (단위: 십 억 달러)

국가별로 살펴보면, 2020년 기준 미국이 626억 달러로 글로벌 디지털 헬스케어 시장의 41% 이상을 차지하고 있으며, 유럽은 417억 달러로 27%의 비중을 보이고 있다. 중국의 경우 미국 및 유럽 대비 큰 시장 규모를 형성하지는 못했지만, 향후 가장 높은 성장률을 보일 것으로 전망된다. 중국의 디지털 헬스케어 시장은 2020년 127억 달러에서 연평균 22.8%씩 성장하여 2027년에는 535억 달러 규모에 이르며, 글로벌 시장의 10%를 차지할 것으로 것으로 추정되며, 이 외 일본과 캐나다도 각각 15.2%, 17.2%의 성장이 전망된다. 디지털 헬스케어 분야에서 미국, 유럽, 중국의 높은 성장은 각국 정부가 디지털 헬스케어 산업을 적극적으로 지원하고 있기 때문에 가능한 것으로 보인다. [12)]

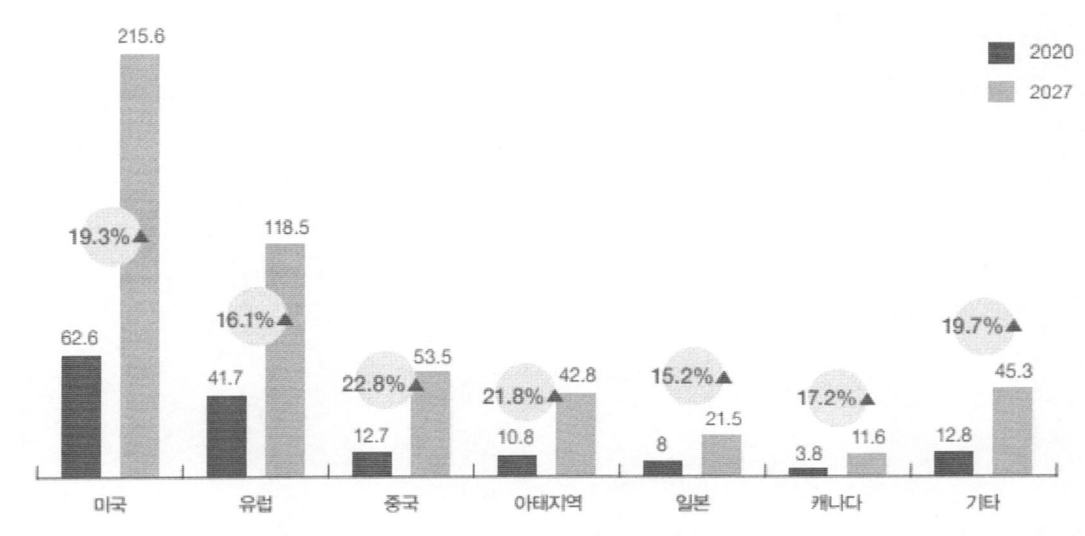

[그림 21] 글로벌 디지털 헬스케어 국가별 산업 규모 및 전망 (단위: 십억 달러)

시장 데이터 전문 기업 스태티스타(Statista)는 2025년 세계 디지털 헬스케어 시장이 약 6,570억 달러 규모로 성장할 것으로 예측했다. 또, 스태티스타는 헬스케어 가운데 인공지능이 차지하는 시장 규모가 2025년에 약 280억 달러에 이를 것으로 예측했다. 헬스케어 인공지능 시장 규모는 2016년 약 11억 달러, 2017년 약 14억 달러였던 것에 비해 매우 많이 증가한 것이다. 2017년 시장 규모를 기준으로 2025년까지의 연평균 성장률(CAGR)이 약 45%에 이를 정도로 전체 시장에 비해서도 매우 빠르게 성장하는 시장임을 알 수 있다.[13)]

12) 디지털 헬스케어의 개화 원격의료의 현주소, PwC Korea, 2022.07
13) 빠르게 성장하는 디지털 헬스케어 인공지능 시장, 한국방송통신전파진흥원

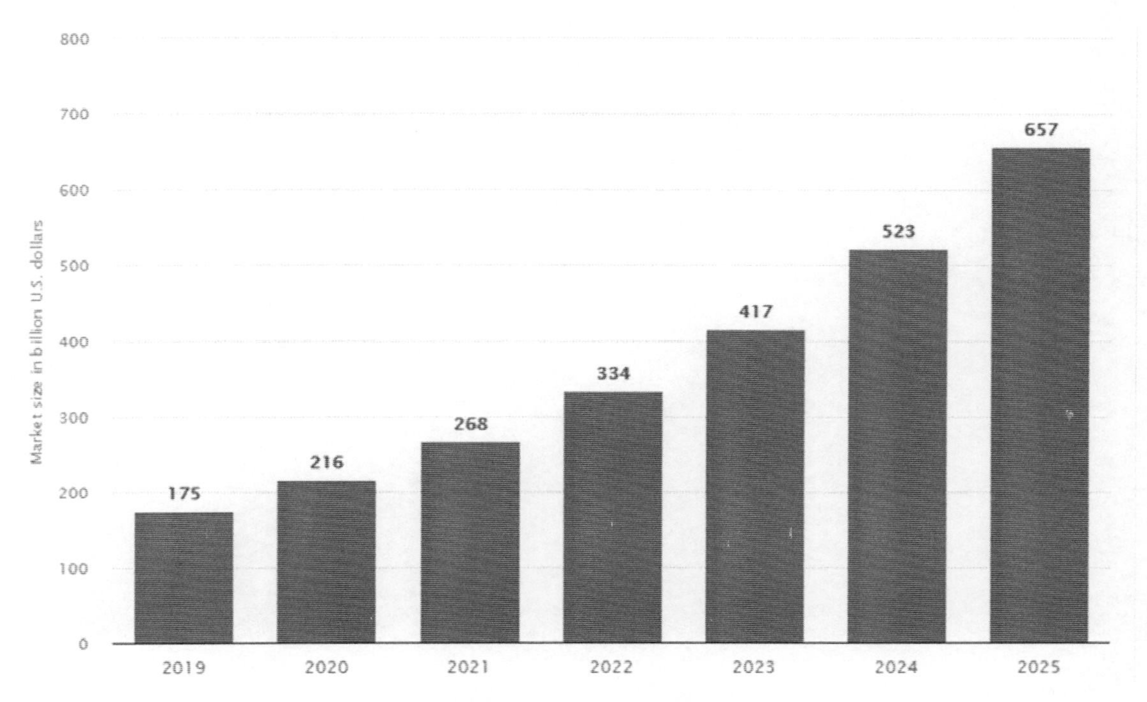

[그림 22] 2019~2025년 세계 디지털헬스 시장 예상 규모

개요	시장 규모						CAGR(%)
	2018	2019	2020	2021	2022	2023	
세계시장	1887.9	2543.6	3556.4	5143.8	7607.5	11508.3	45.1%

[표 12] 인공지능 헬스케어 세계 시장 규모 전망 (단위: 백만달러)

14)

인공지능 헬스케어(AI in Healthcare) 세계 시장 규모는 2018년 약 2조 3천억 원(19억 달러), 2019년 약 3조원(25억 달러)이며 연평균 성장률 45.1%로 예상되어 2023년에는 약 14조원(115억 달러)을 기록할 것으로 예상된다.

시장 규모를 성장시키는 요인으로는 인공지능(AI) 기술에 대한 연구개발 증가 및 의료기기 산업에서 인공지능 활용의 확대로 인한 것으로 나타났다(실시간 모니터링, 자가 건강관리, 진단 지원 등). 현재 미국위주의 시장형성에서 점차 세계적인 시장으로 확대됨에 따라 인공지능 헬스 케어 시장은 더욱 커질 전망이다.

14) Global Artificial Intelligence Market in Healthcare Sector: Analysis&Forecasts

	소프트웨어	하드웨어	서비스
2018	1338	618.8	135.8
2025	22922.8	9464.1	3763.2
CAGR(%)	50.1%	47.6%	60.7%

세계 인공지능 빅데이터 기반 독립형소프트웨어의료기기 시장 현황(단위: 백만달러)

15)

Market and Markets에 따르면 인공지능 헬스케어(AI Healthcare) 시장에서 소프트웨어, 하드웨어, 서비스 분야 중 소프트웨어 분야를 가장 비중이 큰 산업으로 전망하고 있다. 세계 인공지능 소프트웨어 시장은 2018년 약 1.6조 원(14억 달러)에서 연평균 50.1% 만큼 성장하여 2025년에는 약 27조 원(229억 달러)로 예상된다.

한편, 시장조사업체 GIA에 따르면 세계 디지털 헬스 산업은 2020년도 1,520억 달러 규모로 오는 2027년에는 5,080억 달러 규모로 20%에 가까운 큰 폭의 성장률이 예상된다. 모바일 헬스 산업은 2020년도 전체의 57%인 860억 달러로 절반 이상을 차지하며, 텔레헬스케어는 전체의 4%로 규모는 작지만 성장률은 30.9%로 가장 높게 전망된다.[16)]

개요	시장 규모						CAGR(%)
	2018	2019	2020	2021	2022	2023	
세계시장	91.8	125.7	174.8	248.2	357.4	518.2	42.2%

[표 14] 의료영상데이터 활용 인공지능·빅데이터 기반 독립형소프트웨어의료기기 세계시장 현황 (단위: 백만달러)

17)

의료영상데이터 활용 인공지능 기반 독립형소프트웨어의료기기의 시장 규모는 2018년 약 1,100억 원(92백만 달러), 2019년 약 1,560억 원(126백만 달러)이며 연평균 성장률 42.2%로 예상되어 2023년에는 약 6,200억 원(518백만 달러)을 기록할 것으로 예상된다.

개요	시장 규모						CAGR(%)
	2018	2019	2020	2021	2022	2023	
세계시장	380.5	517.4	734.8	1080.1	1620.2	2478.9	46.7%

[표 15] 생체데이터 활용 인공지능·빅데이터 기반 독립형소프트웨어의료기기 세계시장 현황 (단위: 백만달러)

18)

15) Artificial Intelligence Healthcare Market Global Forecasts to 2025
16) "국내 '디지털헬스', 9점 만점에 5점…법·제도 개선해야", 2021.4.8. Yakup.com
17) Global Artificial Intelligence Market in Healthcare Sector: Analysis&Forecasts

생체데이터 활용 인공지능기반 독립형소프트웨어의료기기의 시장 규모는 2018년 4,560억원 (380백만 달러), 2019년 6,204억 원(517백만 달러)이며 연평균 성장률 46.7%로 예상되어 2023년에는 2조 9,748억 원(2,479백만 달러)을 기록할 것으로 예상된다. 웨어러블 기기를 활용한 환자 의료데이터 축적, 의료비 감면의 필요성 증가, 정부의 지원 등으로 인해 의료데이터를 활용한 인공지능·빅데이터 기반 독립형소프트웨어의료기기의 시장은 증가하고 있다.

18) Global Artificial Intelligence Market in Healthcare Sector: Analysis&Forecasts

나. 국내 시장 동향

국내 디지털 헬스 산업 규모는 발표기관마다 차이가 있으나, 2018년 기준 1.9조 원 (과학기술정보통신부(2020))으로 추정된다. 국내 시장에 대한 최신 자료가 부재한 상황에서, 2020년 한국보건산업진흥원은 전문가 설문조사를 통해 국내 시장의 향후 5년 성장률을 15.3%로 예상하였는데, 이는 글로벌 성장률 18.8%보다 낮은 수준이며, 이러한 추세가 지속될 경우 글로벌 시장에서 한국이 차지하는 비중은 1% 이하로 미미한 수준일 것으로 보인다. 국내 의약품 시장의 규모가 글로벌 대비 2% 수준인 것에 비하면, 국내 디지털 헬스케어 산업은 걸음마 단계이다. 분야별로 살펴보면 모바일 헬스케어 18.8%, 헬스분석 17.4%, 원격의료 14.9%, 디지털 헬스시스템 13.7% 순으로 연평균 성장이 예상된다. 글로벌 시장은 원격의료 부분에서 30.8%의 고성장이 전망되나, 국내는 비대면 진료에 대한 규제로 인해 연평균 14.9%의 성장에 그칠 것으로 보인다.[19]

개요	시장 규모						CAGR(%)
	2018	2019	2020	2021	2022	2023	
국내시장	410.4	554.4	772.8	1113.6	1642.8	2464.8	44.6%

[표 16] 인공지능 헬스케어 국내 시장 규모 전망 (단위: 억 원)

20)

한편 국내 인공지능·빅데이터 기반 독립형소프트웨어의료기기 등 인공지능 헬스케어 시장 규모는 2018년 약 410억 원, 2019년 약 554억 원이며 세계시장과 비슷한 연평균 성장률 44.60%로 예상되어 2023년에는 약 2,465억 원을 기록할 것으로 예상된다. 국내에서도 인공지능을 활용한 의료기기의 개발에 관심이 큰 만큼 시장전망도 고성장이 예상되고 있다.[21]

식품의약품안전처에서 발표한 자료에 따르면, 스마트헬스케어 의료기기 시장은 매년 10% 넘게 성장하여 2020년에는 14조 원 규모에 이를 것으로 전망되며, 헬스케어 관련 디바이스의 성장세가 IoT 디바이스 산업의 성장을 주도할 것으로 예측된다.

연도	2012년	2013년	2014년	2020년
시장규모	2.2	2.6	3.0	14.0

[표 17] 국내 디지털 헬스케어 시장규모 (단위: 조 원)

IoT 헬스케어기기 시장의 성장은 통신서비스산업의 성장과 연관이 깊으므로 서로 동반 성장할 것으로 전망되며, 센서기술과 웨어러블·모바일기기 등을 기반으로 한 IoT 기술이 헬스케어 산업에 새로운 부가가치를 부여하는 데 크게 기여될 것으로 보인다.

19) 디지털 헬스케어의 개화 원격의료의 현주소, PwC Korea, 2022.07
20) Global Artificial Intelligence Market in Healthcare Sector: Analysis&Forecasts
21)「2020 신개발 의료기기 전망 분석보고서」2020.3월, 식품의약품안전처

다. 세부분야별 시장 동향[22)]

1) 기술별 시장동향

헬스케어 관련 인공지능 기술은 머신러닝, 자연어처리, 상황인식 컴퓨팅, 컴퓨터 비전 등으로 세분화되어 있으며, 음성·영상·문자 등의 패턴 인식 등 다양한 기술과의 융합 활용 가능성 큰 머신러닝 기술의 성장이 가장 크게 가속화 되고 있다.

머신러닝은 2017년 기준 6억 6,670만 달러로 평가되었으며, 연평균 52.6%로 상승하여 2025년까지 175억 7,500만 달러에 이를 전망이다.

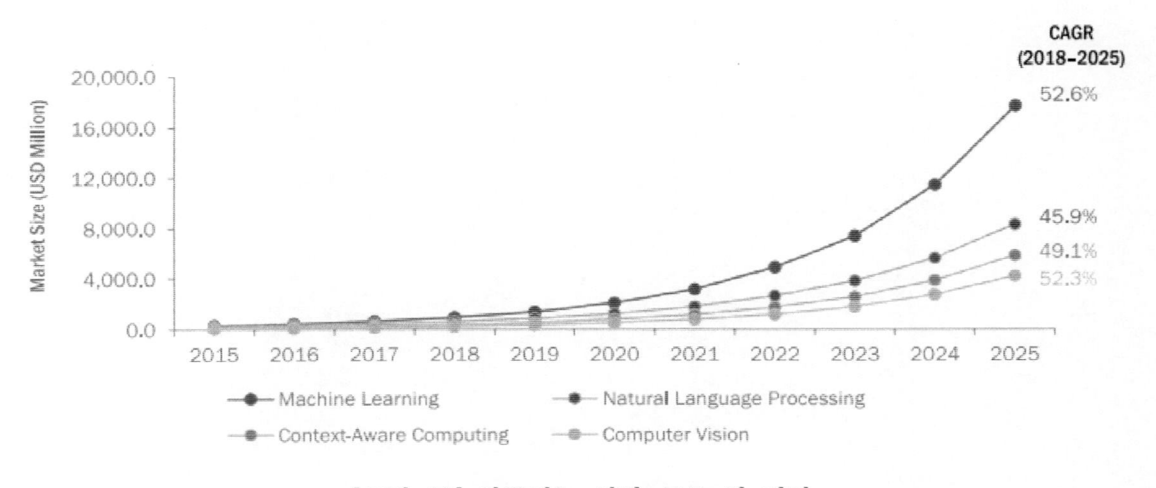

[그림 23] 인공지능 시장 규모 및 전망

2) 지역별 시장동향

북미 지역은 헬스케어 분야 인공지능 시장 중 37.5%를 차지하며 가장 큰 비중을 보이고 있으며, 관련 기술의 성장이 두드러지는 핵심요소로 전 치료과정에서 지속적으로 인공지능 기술을 채택하며 적용하는 것으로 조사된다. 북미 지역은 2017년 기준 5억 3,960만 달러로 평가되었으며, 연평균 51.7%로 상승하여 2025년까지 143억 5,000만 달러에 이를 것으로 전망이다.

NVIDIA, Intel, Xilinx, Microsoft, AWS, Google, IBM 같은 인공지능 분야 주요 하드웨어 및 소프트웨어 기업이 북미 지역에 위치해 있으며, Johnson and Johnson과 GE가 해당 지역의 헬스케어 시장 성장에 가세하고 있다.

22) 헬스케어 분야 머신러닝 기술 활용 및 동향, Khidi, 2019.11.18

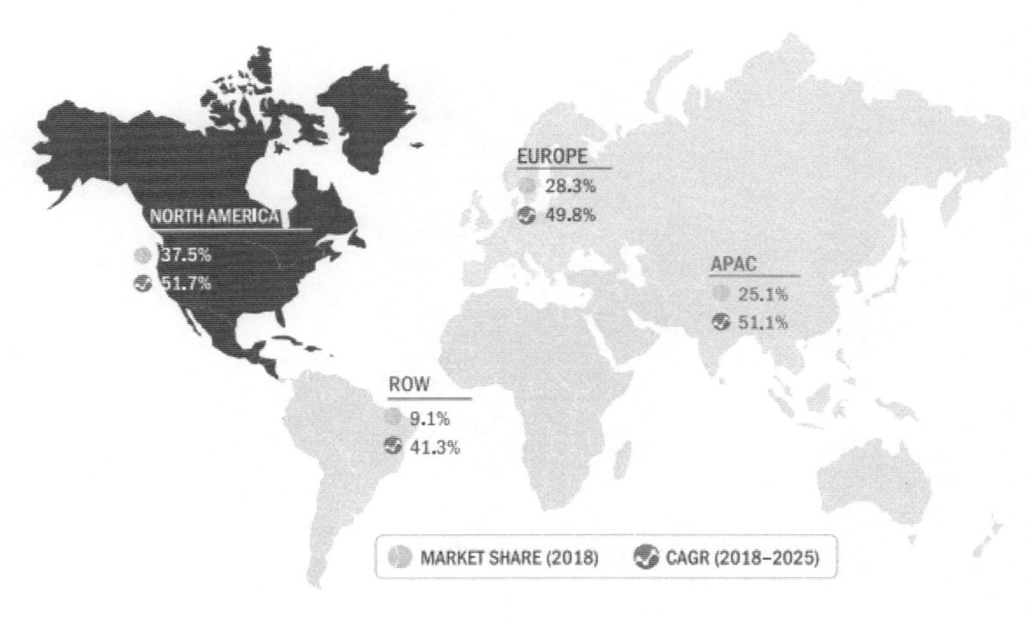

[그림 24] 지역별 시장 규모

3) 사용자별 시장동향

의료기관&의료서비스 제공자와 환자가 2025년까지 가장 많은 인공지능 기술 사용 비중을 유지할 것으로 보이며, 타 사용자에 비해 큰 폭으로 성장할 것으로 전망된다.

의료기관&의료서비스 제공자는 2017년 기준 9억 1,570만 달러로 평가되었으며, 연평균 48.5%로 상승하여 2025년까지 207억 1,000만 달러에 이를 것으로 전망된다. 의료기관&의료서비스 제공자는 서비스 제공 체계 개선, 병원 운영 효율화, 환자 만족도 향상, 의료비용 절감 등을 위해 인공지능&머신러닝 기반 시스템 및 솔루션을 다량 채택하고 있다.

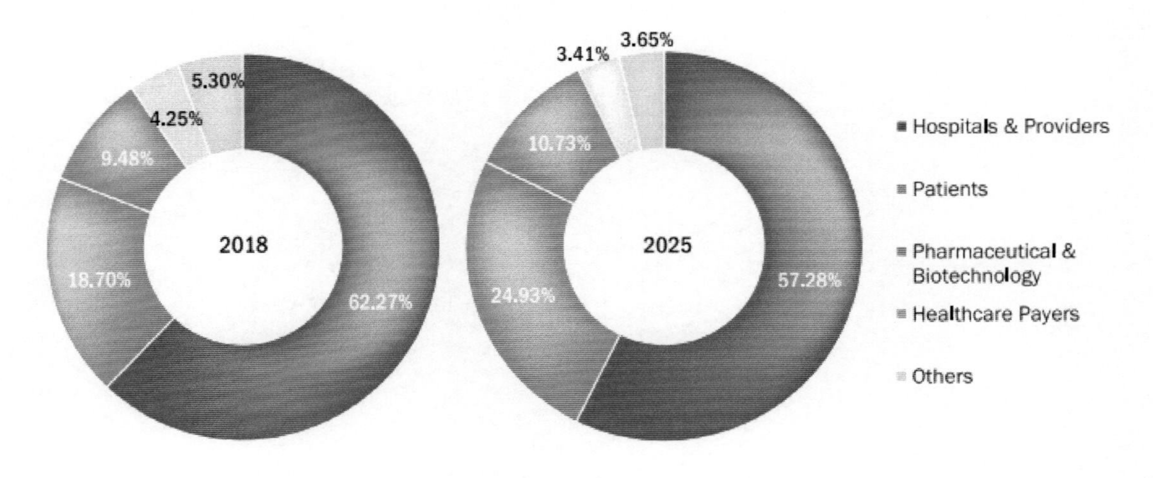

[그림 25] 사용자별 시장 분포

4) 적용사례별 시장동향

인공지능 기술의 주요 적용사례로는 환자 데이터&위험 분석, 환자 간호&의료기관 운영 관리, 의료영상&진단, 생활관리&모니터링, 가상 도우미, 약물발견, 정밀의료 등이 있다.

환자 데이터&위험 분석이 2018년 기준 가장 큰 시장으로(약 4억 9,000만 달러) 평가되었으며, 연평균 48.8%로 상승하여 2025년까지 79억 3,100만 달러에 이를 것으로 전망된다.

의료영상&진단 분야는 2018년 기준 약 2억 4,000만 달러로 평가되었으나, 적용사례 중 가장 높은 성장률(57.8%)을 보이며 2025년 58억 6,700만 달러에 이를 것으로 전망된다.

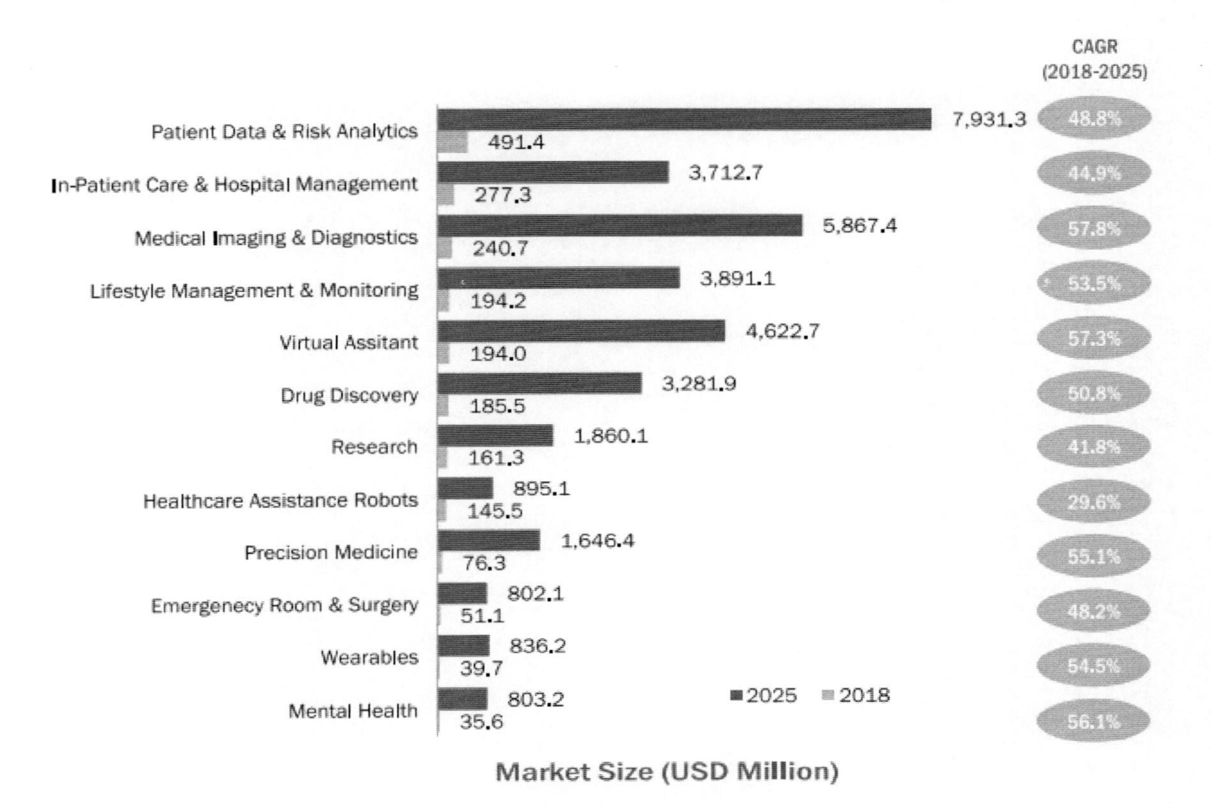

[그림 26] 적용사례별 시장 규모 및 전망

5) 학습방법별 시장동향

머신러닝은 컴퓨터가 학습된 알고리즘을 통해 스스로 데이터에 접근하여 분석하는 인공지능 기술 분야이며, 이를 구현하기 위한 주요 학습방법으로는 딥러닝, 지도학습, 강화학습, 비지도 학습 등이 있다.

2017년 기준 학습방법별 시장규모의 경우 딥러닝이 3억 2,700만 달러로 가장 큰 시장으로 조사되었으며, 2025년까지 연평균 54.9%로 성장하여 104억 7,840만 달러에 이를 것으로 전망된다.

Type	2015	2016	2017	2018	2020	2023	2025	CAGR (2018-2025)
Deep Learning	152.4	223.2	327.9	488.7	1,131.8	4,257.3	10,478.4	54.9%
Supervised	74.8	107.2	154.1	224.8	499.0	1,764.1	4,169.8	51.7%
Reinforcement Learning	29.3	41.0	57.5	81.9	172.6	560.1	1,242.5	47.5%
Unsupervised	20.8	29.4	41.9	60.4	131.3	448.7	1,035.4	50.1%
Others	23.7	32.7	45.3	63.5	129.2	392.5	823.6	44.2%
Total	301.0	433.6	626.7	919.3	2,064.0	7,422.7	17,749.8	52.6%

[표 18] 학습방법별 시장규모 및 전망 (단위: 백 만달러)

04. 인공지능 헬스케어 기술 동향

4. 인공지능 헬스케어 기술 동향

가. 임상의사지원시스템

병원의 기록이 전산화되면서 문서업무 비용을 줄이고 의료공급자들 간의 협력은 의료의 질을 떨어뜨리지 않으면서 의료비 지출을 줄일 수 있도록 도왔다. 하지만 EMR(Electronic Medical Record), OCS(Order Communication System), PACS(Picture Archiving Communication System), PHR(Personal Health Record) 등 넘쳐나는 의료 정보는 고비용과 저효율을 불러일으킬 수 있다.

인공지능기반의 임상의사지원시스템은 넘쳐나는 정보를 학습하고 분석하여 의사-간호사-환자를 유기적으로 연결하고, 이를통해 많고 좋은 것이 아닌 적절한 수준의 기술과 서비스를 제공하고 결과적으로 의료의 질을 높일 수 있다.

다시 말해 임상의사지원시스템은 임상 데이터, 문헌, 논문 등 의 정보를 분석하여 의사의 진료행위를 지원하는 정보시스템으로 의료진의 임상지침(Clinical Guidelines) 및 근거기반 의료행위(Evidence Based Practice:EBP)를 지원하기 위한 정보 시스템이라고 할 수 있다.

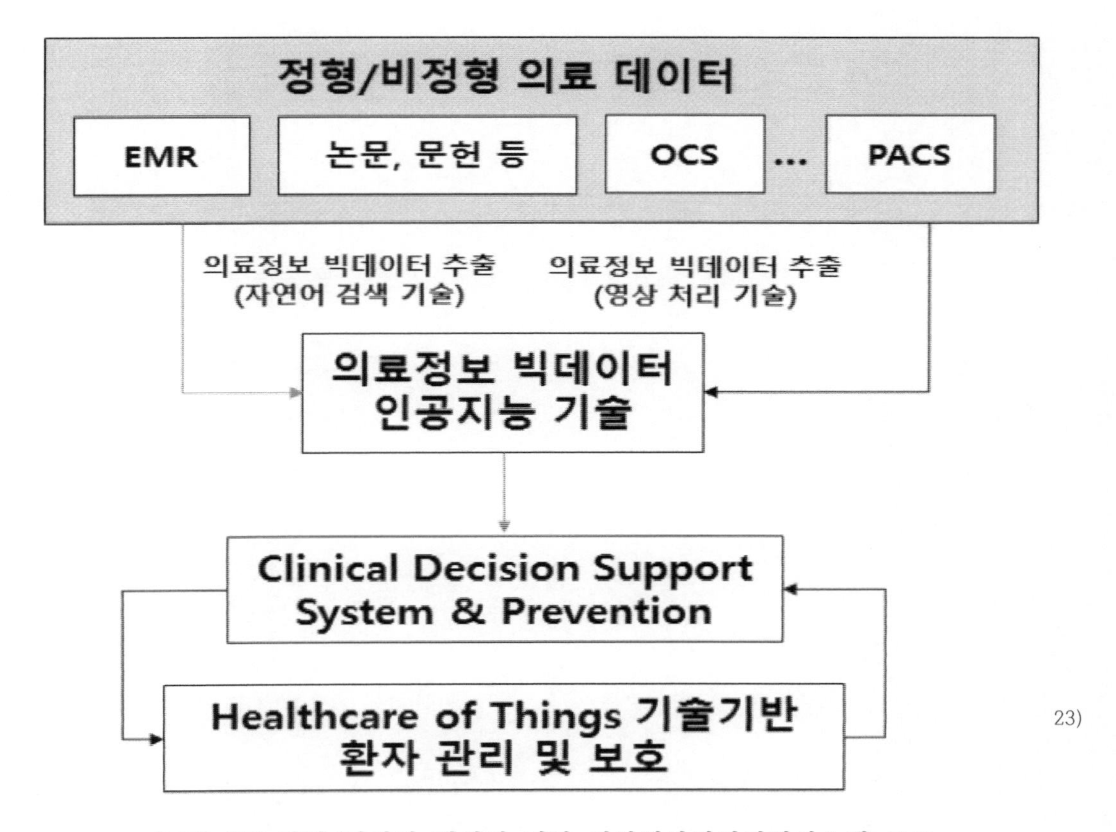

23)

[그림 27] 정형/비정형 데이터 기반 임상의사결정지원시스템 구조

23) 출처: 을지대학교

① **IBM 왓슨**[24)]

임상의사지원시스템의 가장 대표적인 사례라고 할 수 있는 IBM사의 '왓슨(Watson)'에 대한 관심이 빠르게 식고 있다. 국내에서는 2016년 12월 길병원이 최초로 도입한 후 부산대병원, 건양대병원, 대구가톨릭대병원, 계명대동산병원, 조선대병원 등등이 차례로 왓슨을 들여왔다.

하지만, 거액을 투자해 왓슨을 도입했으나 국내 의료 실정과 맞지 않아 비용 효용성이 떨어진다는 회의적인 목소리가 나오고 있다. 일각에서는 주로 암 진단에 활용되는 왓슨이 서양보다 동양에서 발생 빈도가 높은 암에서는 진단 정확도가 떨어져 왓슨의 실효성이 사실상 없다는 지적까지 제기되고 있다.

국제전기전자기술자협회 발행잡지(IEEE Spectrum)에 따르면 태국의 방콕 범룽랏병원(Bumrungrad international hospital)에서 유방암, 직장암, 위암, 폐암 환자 211명에 대해 왓슨을 적용한 결과 일치 비율은 83%였다. 또 인도 방갈로르의 마니팔 종합암센터(Manipal Comprehensive Cancer Center)에서 유방암 환자 638명에 대해 왓슨을 적용한 결과 일치 비율은 73%로 나타났다. 특히 길병원에서 대장암 환자 656명에 대해 왓슨을 적용한 결과 일치 비율이 49%에 그친 것으로 알려졌다.

일부 암에 대한 진단 정확도가 낮은 문제 외에도 거액을 들여 왓슨을 도입했지만 왓슨이 의료기기로 인정되지 못해 환자들에게 서비스 차원의 '덤'으로 제공되고 있는 현실도 병원들이 왓슨을 외면하는 이유로 꼽히고 있다. 이에 왓슨을 도입했던 병원들 가운데 재계약을 하지 않는 병원들이 속속 생겨나고 있다.

지난 2017년 1월 왓슨을 도입했던 부산대병원은 2019년 초 2년 계약이 종료된 후 더 이상 계약을 이어가지 않기로 했고, 비슷한 시기에 왓슨을 도입해 1년만 시범적으로 사용키로 했던 계명대동산병원도 왓슨 재계약을 포기했다. 아직 계약기간이 남아있어 사용은 하고 있지만 화순전남대병원도 시들하기는 마찬가지다.

화순전남대병원 관계자는 "왓슨을 도입했지만 생각 만큼 활용하고 있지는 않는다"면서 "왓슨을 이용한 진단보다 그간 (병원에) 쌓인 환자들의 데이터를 기반으로 한 진단이 더 훌륭하다는 생각이 든다"고 말했다. 그는 "왓슨 데이터가 국내 환자들에게 특화돼 있지 않다"며 "왓슨은 초기 모델이다. (완성되기까지) 앞으로 시간이 더 필요하지 않을까 생각한다"고 했다.

의료계 관계자는 "왓슨을 활용해 진료를 한다고 하더라도 환자들에게 별도 비용을 받을 수 있는 것도 아니고 정확도도 높지 않다"며 "초반에는 병원들이 마케팅 목적으로 활용했지만 지금은 초기 투자 금액도 회수하지 못하면서 점차 외면하는 분위기"라고 말했다.

우리나라 만큼이나 왓슨이 등장하자 폭발적인 반응을 보였던 다른 나라들도 "왓슨을 사용하는데 지쳤다"는 반응을 보일 정도로 회의적이다. 왓슨이 임상 현실과 맞지 않다는 비판적 목소리마저 나오고 있다.

---

24) [기획]의료계 뜨겁게 달궜던 '왓슨' 열풍 이대로 식나, 청년의사, 2019.05.17

왓슨이 전적으로 통계에 기반한 결과를 도출하고, 주요 결과를 수집할 수는 있지만 복잡한 임상 현실을 이해할 수 없다는 것이 전문가들의 지적이다. 즉, 의사들의 의사 결정에 도움을 줄 수 있는 인공지능 의사일 뿐 '진짜 의사'는 될 수 없다는 의미다.

IBM의 전직 의학자였던 마틴 콘(Martin Kohn)은 IEEE Spectrum에서 "IBM의 기술이 엄청나게 강력하다는 게 입증됐지만 임상적 측면에서는 적절하지 않다"며 "그 기술이 나와 내 환자들의 삶을 더 좋게 만들 수 있는지 증명해 보라"고 지적한 바 있다.

반면 병원 내 의사결정 보조자로서 다학제적 진료에는 도움이 된다는 의견도 있다. 이에 건양대병원과 대구가톨릭대병원은 왓슨을 임상 현장에 활용할 방침이다. 왓슨을 질병 진단의 최종 결정자가 아닌 의사결정 보조자로 활용하겠다는 복안이다.

건양대병원 김종엽 헬스케어 데이터 사이언스 센터장은 "왓슨도 임상의사결정지원시스템(CDSS, Clinical Decision Support System)의 일환이다. 왓슨이 최종 결정을 하도록 하는 게 아니라 의사들이 왓슨의 이야기를 한 번 더 듣는 과정을 통해 한 번 더 고민할 수 있게 된다"고 설명했다. 김 센터장은 "왓슨이 추천만 해주는 것이 아니라 관련 논문을 수십 페이지 출력해 주는데 이는 다학제 진료가 더 건전한 방향으로 흘러 갈 수 있도록 도움을 준다"면서 "CDSS는 앞으로의 큰 흐름이고 새로운 기회다. CDSS의 일환인 왓슨은 새로운 시대의 시작일 뿐이다"라고 했다. 이에 건양대병원은 CDSS의 일환으로 최근 AI를 기반으로 한 약물처방 오류방지 모니터링 프로그램 개발에 착수했다.

김 센터장은 "외래환자를 볼 때 진료실 밖에서 수십 명씩 대기하고 있으면 약물 처방 시 오타가 발생하곤 하는데 AI를 활용해 이런 실수를 최대한 줄여주는 모니터링 프로그램을 개발하고 있다"며 "CDSS를 통해 의료의 리스크를 줄일 수 있게 된 것"이라고 했다.

대구가톨릭대병원 혈액종양내과 배성화 교수도 왓슨을 다학제적 진료 과정에서 의사결정의 도구로 활용하고 있다고 했다. 배 교수는 "다학제 진료를 하는데 보조적인 수단으로 활용하고 있고 향후 여러 영역에서 의료와 AI의 결합은 지속될 것 같다"며 "질병에 대한 정확도나 비용 효율적인 측면 등 우려를 갖고 있음에도 병원이 2년 정도 더 활용해 보자고 결정한 것도 이 때문"이라고 설명했다.

배 교수는 "모든 AI가 모두 성공할 수 없을 거라고 본다. 왓슨은 실제로 AI인지 의문을 가질 정도로 초기 버전"이라면서 "극단적인 예로 왓슨이 시장에서 퇴출된다 하더라도 AI를 보조 장치로 의료에서 활용하는 일은 점점 확대될 것"이라고 전망했다.

② 삼성전자와 삼성메디슨의 S-Detector

삼성전자와 삼성메디슨은 기존의 S-Detector인 "영상의학과용 초음파 진단기기"에 딥러닝 기술을 접목하여 한 번의 클릭으로 유방 병변의 특성과 악성·양성 여부를 제시하고 약 1만 개에 이르는 유방 조직 진단 사례가 수집된 빅데이터를 바탕으로 사용자의 최종 진단을 지원한다.

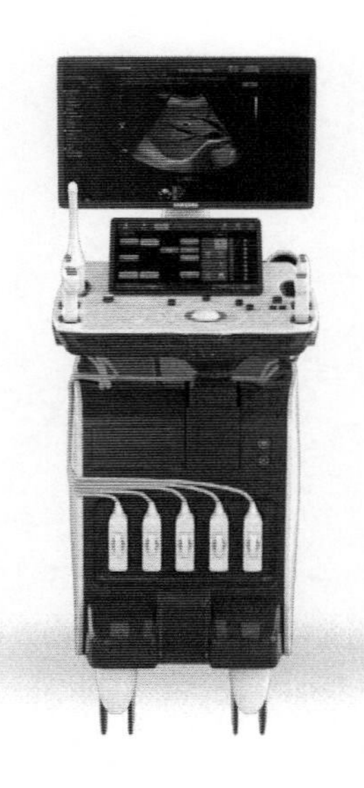

25)

[그림 28] S-Detector

③ 뷰노의 뷰노-메드본에이지(VUNO-Med BoneAge)

뷰노의 "뷰노-메드본에이지"는 성장기 자녀의 성장문제를 진단하기 위한 골연령 측정 소프트웨어로, X-ray로 촬영된 수골(손뼈) 영상에 대한 보다 정확하고 빠른 측정을 가능하도록 도와주는 인공지능 기기로서 국내 최초로 2017년 9월 식약처 임상시험계획을 승인받았다.

또한, 뷰노는 혈압, 심박수, 호흡수, 체온 등 네 가지 활력 징후 자료를 활용해 환자의 심정지 및 사망 위험도를 예측하는 제품을 개발해 임상시험을 하고 있다. 뷰노는 미래에셋대우를 IPO 대표주관사로 선정하고 이르면 2020년 상반기 코스닥 상장예비심사를 신청하겠다는 계획이다.

④ 루닛의 실시간 폐질환 진단

루닛은 웹사이트인 "인사이트"를 통해 실시간 폐질환의 진단을 제공하고 있다. 흉부 X-ray 영상에서 폐암 결절, 결핵, 기흉 및 폐렴과 같은 주요 폐질환을 진단할 수 있으며, 정확도는 98%에 이른다. 또한 루닛은 유방암 조기진단을 위한 유방 촬영술용 솔루션을 연구하고 있다.

또한 루닛은 시리즈C에 해당하는 300억원 규모의 투자 유치를 마무리했다. NH투자증권을 주관사로 정해 IPO를 추진할 계획이다.

이외에도 루닛은 환자에게 가장 적합한 항암제를 알려주는 AI '루닛 스코프'로 업계의 주목을 받고 있다.

25) 출처: 삼성헬스케어 홈페이지

⑤ 영국 NHS와 캠프리지 대학의 Predict

영국 NHS와 캠브리지 대학에서 개발한 "Predict"는 수술 후 유방암 치료가 어떻게 생존율을 향상시킬 수 있는지 보여주는 시스템으로 분석결과를 표, 차트, 텍스트 등의 다중 표현 형식으로 설명한다.

Predict AI 모델은 임상의와 환자가 조기 침습성 유방암 수술 후 치료정보에 입각한 결정을 내리기 위한 것으로, 영국 East Anglia에서 치료받은 5,694명의 유방암 등록 정보로 만들어 졌으며(1999-2003), 이후 2007년까지 추적정보도 포함했다. 환자 연령, 종양크기, 종양등급, 양성 노드수, ER 상태, HER2 상태, KI67 상태 및 검출 모드를 포함한 개별 환자의 데이터를 입력하면 진단 후 최대 15년까지 치료법에 대한 정보 제공한다. 예측은 보조제 치료방법(화학치료, 호르몬치료, 폐경 후 환자를 위한 골전이치료 등) 유무에 따른 생존 예측치를 시각정보와 텍스트 형태로 제시한다. 임상적 검증은 1999-2003년에 진단된 West Midlands Cancer Intelligence Unit의 5,000명 이상의 유방암 환자의 외부 데이터셋을 사용하여 정확도 검토를 진행했다.[26]

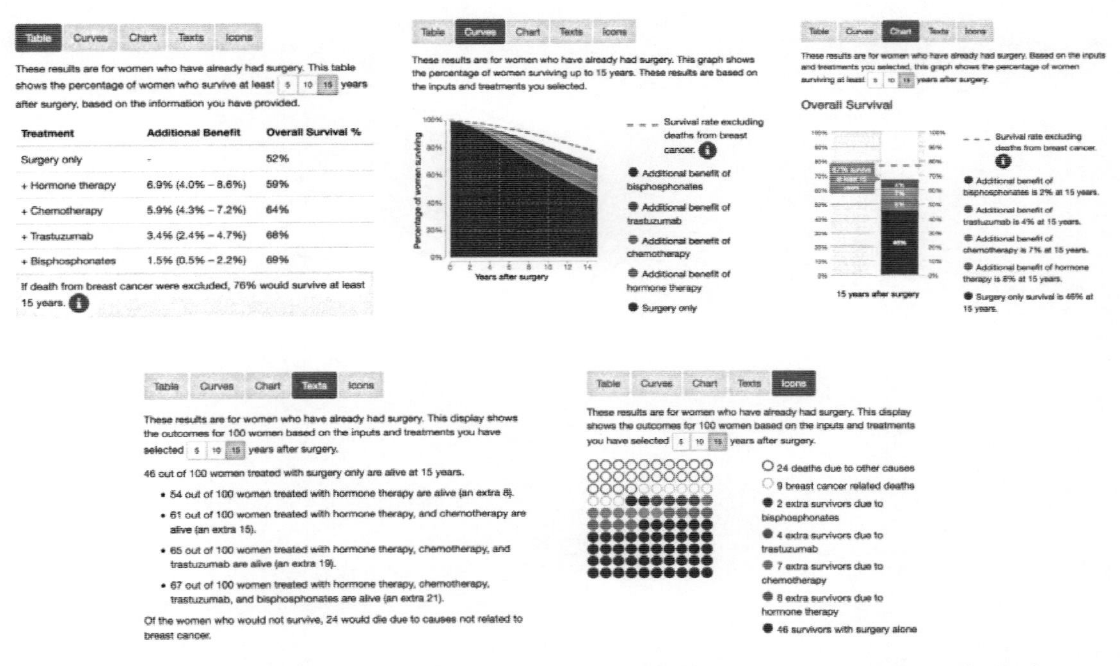

[그림 29] 사용자의 입력에 대한 AI 알고리즘 기반 분석 결과의 다중 표현 출력

26) 의료 인공지능의 한계를 뛰어넘는 설명 가능한 인공지능 기술, XAI, 보건산업브리프, Khidi, 2021.11.01

나. 신약개발

인공지능 기술을 통해 많은 양의 데이터를 처리할 수 있고, 보다 정확하고 효율적인 의사결정이 가능해져서 신약개발 분야에도 비용과 시간의 절약이 기대되고 있다. 신약개발은 장기간의 투자에도 불구하고 활용 가능성이 현저히 낮고, 만약 신약개발에 성공하더라도 시장에서의 성공확률은 저조한 것이 현실이다.

신약개발 후 임상시험에 걸리는 시간은 1994년까지만 하더라도 평균 4.6년이 소요되었지만, 2009년에는 7.1년으로 증가했다. 미국의 경우 지난 15년간 신약 개발을 위해 약 520조 원 이상을 투자했다. 이는 항공산업의 5배, 소프트웨어와 컴퓨터 산업의 2.5배에 이르는 수준이다.

신약 개발에서 인공지능이 가장 성공적으로 활용되는 단계는 후보물질 발견 단계다. 후보물질 발견 단계에서는 신약 개발 대상 질병을 선정하고 관련 연구 논문 등의 자료를 탐색해 치료제의 후보 물질을 선정한다. 이때 탐색의 대상이 되는 자료는 논문, 보고서, 생물학 정보 데이터 등으로 종류도 다양하고 그 분량도 지수적으로 증가하고 있다. 이렇게 많은 자료에서 수백 개에 이르는 요소들을 비교 검토해 후보물질을 발견하는데, 전 과정에 5년 정도의 시간이 걸린다. 인공지능은 자료 검토를 통한 화합물 탐색, 탐색 된 화합물 구조 정보와 단백질 결합 능력의 계산 등을 통해 후보물질 발견 단계에서 소요 시간과 비용을 크게 줄여준다.

① 영국, 새로운 약물 후보 물질 설계, 합성 및 검증 단계를 1달 반으로 단축[27)]

영국 과학자들이 수 년이 걸리는 새로운 약물 후보 물질 설계, 합성 및 검증 과정을 인공지능(AI)을 통해 1달 반으로 단축했다. 영국 생명공학 연구재단(Biogerontology Research Foundation, BGRF) 공동 연구팀은 대다수 제약 회사에서 사용하는 표준 H2L(Hit To Lead) 방식을 사용해 46일 만에 성과를 거뒀다.

공동 연구는 GAN(Generative Adversarial Networks)과 강화학습((Reinforcement Learning, RL) 조합을 사용했다. 이번 AI 검증 프로세스는 첫 번째 단계부터 상용화까지 질병 타겟을 목표로 했다. 약물 발견 및 개발의 타임라인을 단축, 잘못된 방향으로 흐르기 쉬운 무작위 프로세스에서 전체 프로세스를 지능적이고 집중적이며 직접적인 과정으로 전환했다.

AI 신약 발견 가속화 잠재력을 제시한 이번 성과는 2년 전부터 약물 발견 및 바이오 마커 개발에 AI 심층학습(Deep Learning) 기반 최첨단 기술을 도입한 결과다. 인실리코 팀은 2016년부터 특정 분자 특성에 기반해 새로운 약물 후보를 설계하기 위해 GAN 딥러닝 기술을 적용했다. 2018년 한달 반에 새로운 약물의 설계, 합성 및 검증에 성공했다.

인실리코는 21일 만에 처음부터 끝까지 새로운 분자를 착안, 생성할 수있었다. 딥마인드(DeepMind) 알파고와 유사한 AI 기술을 활용한 알고리즘 'GENTRL'은 특정 특성을 가진 새로운 분자 구조를 신속하게 생성 할 수 있다.

---

27) AI 신약개발, 2~3년 프로세스 46일로 단축, The Science Monitor, 2019.09.03.

② 아톰와이즈

미국의 아톰와이즈는 '아톰넷(AtomNet)'이라 명명된 스크리닝시스템을 활용하여 서로 다른 후보물질들의 상호작용을 분석해 물질별 분자들의 행동과 결합 가능성을 학습하고 예측하여 단 하루에 100만 개의 화합물을 선별할 수 있다.

최근 아톰와이즈는 최대 100억개에 달하는 화합물을 이용한 약물스크리닝 프로그램 개발에 나섰다. 아톰와이즈에 따르면 세계 최대 화합물 공급업체인 에나마인(Enamine)과 협력을 맺고 인공지능 기반 가상 의약품 스크리닝 프로그램을 개발에 나선다. 10-투-더-10(10-to-the-10) 프로그램으로 불리는 이 계획은 소아암을 치료하기 위한 저분자 약물 후보물질 도출을 향상시키는 것을 목표로 하고 있다.[28)]

③ 투자아

미국의 스타트업인 '투자아(towXAR)'는 단백질의 상호작용과 진료 기록, 유전자 발현 등 방대한 생의학 데이터와 인공지능 알고리즘을 활용하여 신약을 개발하고 있다.

최근 국내의 SK바이오팜이 투자아와 비소세포폐암 치료 혁신 신약 개발을 위한 공동연구를 체결했다. 이번 계약에 따라 앞으로 투자아는 새로운 생물학적 기전을 통해 폐암 치료 가능성이 높은 신약 후보물질 발굴하기 위해 AI 기술을 활용한다. 이후 SK바이오팜은 구축한 '인공지능 약물설계 플랫폼'을 통해 최적화 작업, 약효 및 안전성 검증을 진행한다는 계획이다.[29)]

④ 스탠다임

국내 스타트업 기업인 '스탠다임'은 약물 상호작용을 포함한 약물 구조의 데이터베이스에 적용하는 알고리즘을 개발하고 있으며, 이를 통해 실험적으로 검증이 가능한지를 파악하고 있다.

종양학 분야에서는 크리스탈노믹스와 협력하여 실험 검증을 수행하고 있으며, 아주대 약대와는 파킨슨병, 한국과학기술원과는 자폐증에 대한 동물시험을 통해 약물효능을 검증하고 있다.

최근, 스탠다임은 한미약품과 손잡고 인공지능을 활용한 신약 후보물질 개발에 적극 나서기로 했다. 이번 업무협약에 따라 양사 협력으로 도출된 신약 후보물질은 한미약품 주도의 상업화 개발(임상/생산/허가)로 이어질 것으로 전망된다.[30)]

⑤ 파로스 IBT

국내 바이오 벤처기업인 "파로스 IBT"는 현존하는 약물 관련 데이터베이스와 상업적으로 구매가 가능한 1,200만 개의 화합물에 대한 정보, 200만 개의 표적 단백질의 약효 데이터, 2억편의 논문 정보가 집약된 Pubmed 빅데이터를 학습하고 분석해주는 신약 개발용 인공지능 플랫폼 케미버스를 개발했다.

---

28) 아톰와이즈, AI 이용한 세계최대 약물후보 스크리닝 프로그램 개발, 성재준, News1, 2019.08.14
29) SK바이오팜, 美 twoXAR와 인공지능 폐암신약 공동연구, 장종원, 바이오스펙테이터, 2019.04.18
30) 한미약품, 신약개발에 AI 도입..스탠다임과 협업, 장종원, 바이오스펙테이터, 2020.01.22

최근, 파로스IBT는 개발한 캐미버스를 이용해 한국과학기술연구원(KIST) 및 대구경북첨단의료산업진흥재단(DGMIF) 연구진들과 공동으로 급성골수성백혈병 표적치료제 후보물질인 'PHI-101'을 개발했다. 그리고, 호주 식품의약청(TGA)으로부터 차세대 급성골수성백혈병(AML) 환자를 대상으로 한 FLT3 표적항암제 'PHI-101'의 임상1상 승인을 받았다.[31]

⑥ 딥마인드 알파폴드

딥마인드가 발표한 새로운 인공지능 '알파폴드'는 신약 후보물질 발견에 크게 기여할 것으로 기대된다. 딥마인드는 알파폴드가 단백질 구조 예측에서 실제 단백질 구조와 90% 이상 일치하는 정확도를 보였다고 밝혔다. 단백질은 다양한 아미노산이 사슬처럼 얽혀져 3차원의 입체구조를 이루고 있다. 단백질 구조를 알기 위해서는 구성 아미노산을 파악하고 개별 아미노산 간의 상호작용을 계산하는 고도의 물리적, 생화학적 연구가 필요하다. 알파폴드는 복잡한 연구 과정 없이 과거 데이터를 바탕으로 높은 정확도로 계산하는 데 성공한 것이다. 이 기술을 활용하면 치료 대상 질병과 관련된 단백질 구조를 과거보다 빠르고 저렴하게 분석할 수 있게 되고, 신약후보물질이 해당 단백질에 효과적으로 적용될 수 있는지 파악하는 데도 도움이 된다.[32]

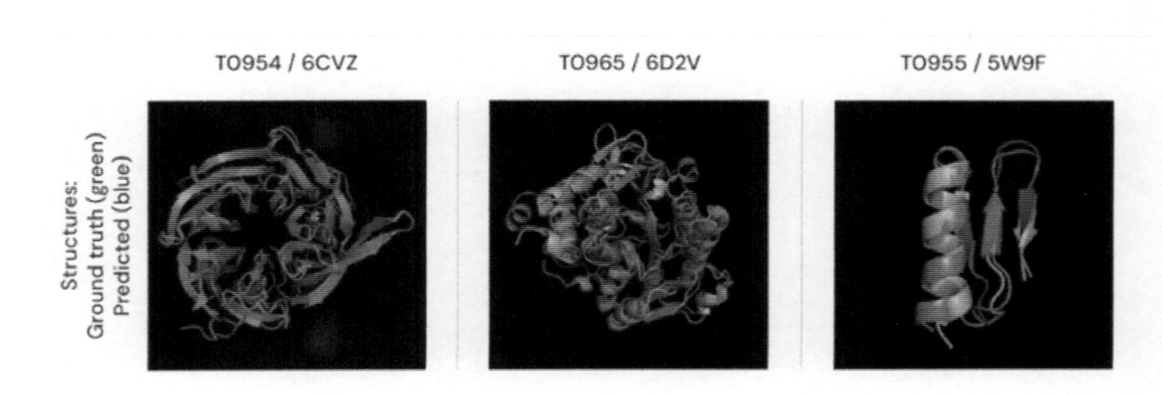

[그림 30] AI사용 신약후보물질 발견

31) 파로스IBT, AML 대상 '차세대 FLT3 저해제' "호주 1상 승인", 김성민, 바이오스펙테이터, 2019.12.05
32) 빠르게 성장하는 디지털 헬스케어 인공지능 시장, 한국방송통신전파진흥원

[그림 31] 신약개발에 인공지능을 활용하는 69개 기업[33]

33) 출처: BenchSci, 한국바이오경제연구센터 재구성

번호	카테고리	설명 및 기업예시
1	Aggregate and Synthesize Information	정보 결합 및 합성 Plex Research : 전세계 생물의학 연구데이터를 직관적으로 검색해 특정표적에 대한 화합물과 같은 신약개발 관련 쿼리와 연관된 결과 제공
2	Understand Mechanism of Disease	질병기전의 이해 Phenomic AI : 현미경 데이터에서 세포 및 조직의 표현형을 분석해 현미경 이미지에서 단일세포들을 신속하고 정확하게 프로파일
3	Repurpose Existing Drugs	기존 약물의 용도변경 Standigm : 신약화합물이 실제 사람들과 어떻게 상호작용하는지 해석해 기존 약물에 대한 새로운 적응증 예측
4	Generate Novel Drug Candidates	신약후보물질 생성 Berg : 건강한 상태와 질병에 걸린 상태 두 경우의 환자샘플 데이터 분석을 바탕으로 새로운 바이오마커 및 치료 표적을 생성해 대규모 맞춤의료 구현
5	Validate Drug Candidates	신약후보물질 검증 XtalPi : 약물의 결정화 구조를 예측해 신약후보물질의 잠재적 안전성, 안정성 및 효능성 정보 제공
6	Design Drugs	신약 설계 Peptone : 단백질의 특징과 특성을 예측해 단백질 디자인의 복잡성을 줄이고제조 및 특성파악 관련 문제를 해결하며 새로운 단백질 특성을 발견
7	Design Preclinical Experiments	전임상시험 설계 Desktop Genetics : CRISPR 가이드 설계에 영향을 주는 생물학적 변수를 결정해 CRISPR 라이브러리를 위한 가이드 선정 실험의 편향 감소
8	Run Preclinical Experiments	전임상시험 수행 Transcriptic : 로봇 클라우드 실험실로 샘플분석을 자동화해 외주식, 주문식, 자동화 실험실을 통한 필요한 데이터의 빠르고 안정적인 생성
9	Design Clinical Trials	임상시험 설계 Trials.ai : 임상시험 디자인을 최적화해 환자의 임상시험 참여를 쉽게 하고 불필요한 부담을 경감하며 실시간 통찰력 제공
10	Optimize Clinical Trials	임상시험을 위한 환자모집 Deep 6 AI : 의료기록 분석을 바탕으로 임상시험 환자를 검색해 환자모집의 가속화를 통한 임상시험의 신속한 완료
11	Optimize Clinical Trials	임상시험의 최적화 서비스 Imagia : 임상적으로 실행가능한 정보를 목적으로 방사선 이미지를 분석해 임상시험 만족과 동반진단에 필요한 질병의 경과 및 치료 반응 예측
12	Publish Data	데이터 출판 sciNote : 제공된 데이터를 기초로 과학 논문 초안을 작성해 출판을 위해 제출할 과학 논문 작성의 "순조로운 출발(head start)" 제공

[그림 32] 신약개발단계에 따른 인공지능 활용 12개 카테고리 및 기업 예시 34)

34) 출처: BenchSci, 한국바이오경제연구센터 재구성

병원	인공지능 개발/제휴 동향	제휴기관
삼성 서울병원	- 한국마이크로소프트의 인공지능 기반 클라우드 플랫폼 애저(Azure)로 유전체 데이터, 영상 데이터, 수면 데이터 기반 한국형 인공지능 정밀의료시스템 구축을 추진하는 전략적 업무협약을 체결	한국마이크로소프트
서울 아산병원	- 산업통상자원부 지원 "폐/간/심장질환 영상판독 지원을 위한 인공지능 원천기술 개발 및 PACS 연계 상용화" 책임 연구기관으로 선정되어, 이를 추진하기 위한 "인공지능 의료영상 사업단" 발족 - 서울대학교병원과 손잡고 "한국형 의료 빅데이터" 공동 분석/활용을 위한 공동연구협약 체결	서울대학교병원
서울대학교 병원	- 대구경북과학기술원(DGIST)과 의료용 인공지능 플랫폼 개발을 위한 업무협약 체결 - 건강보험심사평가원과 "인공지능 기반 의료영상 진단모형 개발" 시작 - 식품의약품안전처로부터 확증임상 승인을 받은 벤처기업 루닛의 폐질환 진단 인공지능 소프트웨어의 임상시험 시작	대구경북과학기술원 건강보험심사평가원 루닛
세브란스 병원	- 셀바스AI의 인공지능 기반 질병 예측 서비스 "셀비 체크업"을 세브란스 병원 홈페이지를 통해 서비스 제공 - 한국마이크로소프트, 디에스이트레이드, 아임클라우드, 센서웨이, 베이스코리아IC, 핑거앤, 셀바스AI, 마젤원, 제이어스, 디엔에이링크 등 국내외 IT 기업 10개 사와 한국형 디지털 헬스케어 공동연구 협약 체결 - 유전체 빅데이터 분석 전문기업 신테카바이오와 유전질환 치료제 개발 연구를 위한 업무협약 체결	셀바스 AI 한국마이크로소프트 아임클라우드 디엔에이링크 신테카바이오
서울 성모병원	- 미국 스탠포드대학교와 인공지능 암 치료기술 상용화를 위한 연구 협약 체결	美 스탠포드 대학교
고려대학교 의료원	- SK텔레콤과 지능형 병원 구축을 위한 양해각서 체결 - 뷰노와 공동으로 뼈 나이 판독 인공지능 프로그램 임상시험 진행 - 유전체 빅데이터 분석 전문기업 신테카바이오와 정밀의료 병원 정보시스템 개발 사업 공동 추진을 위한 양해각서 체결	SK 텔레콤 뷰노 신테카바이오
경북대학교 병원	- 인실리코 메디슨과 인공지능 공동 연구/협력을 위한 업무협약 체결 - 왓슨 온톨로지와 유사한 한국형 임상의사 결정지원 프로그램 개발 중	美 인실리코 메디슨

[표 19] 국내 주요 병원들의 의료 인공지능 개발/제휴 동향

병원	인공지능 개발/제휴 동향	제휴 기관
메디플렉스 서울 병원	- 뷰노와 공동으로 24시간 전에 심정지 발생을 예측하는 인공지능 솔루션 "이지스" 개발	뷰노
365AMC 병원	- 한국마이크로소프트와 함께 지방흡입 인공지능 기술 "MAIL" 시스템을 공개	한뷰노국마이크로소프트
베스티안 병원	- 치료 후 남을 흉터를 예측하는 인공지능 기술 개발 중	-
김안과병원	- 머신러닝 기술로 녹내장을 진단하는 자체 연구를 수행하여 100%에 가까운 진단 성공률을 기록	-

[표 20] 국내 주요 병원들의 의료 인공지능 개발/제휴 동향

35)

35) 디지털 헬스케어 최근 동향과 시사점, 김용균, 정보통신기술센터

다. 의료 프로세스 효율화[36)]

의료 행위는 단지 환자의 진단, 진료, 치료에만 국한되지 않는다. 병원 방문 전에 상담과 예약이 이뤄진다. 이를 위해 콜센터가 운영된다. 입원 환자에게는 기본적인 의식주가 제공되며, 이를 위한 보조인력이 존재한다. 입원 중에 환자는 다양한 처치나 치료, 검사를 받게 되고 이 과정에 다양한 간호간병서비스도 제공된다. 이런 부가 활동은 간호사를 중심으로 다양한 보조 인력들이 제공하고 있다.

문제는 이 과정에 간호사의 업무 부담이 높다는 점이다. 특히 입원 병동 간호사의 경우 환자 관리의 연속성 유지를 위해 효율적인 기록 관리와 업무 인계가 중요하지만 위급한 환자를 돌보는 경우 기록이나 업무 인계 시점을 놓쳐 초과 근무가 수시로 발생한다. 또한, 환자 관리 이외의 부가 업무 등의 발생으로 인해 업무 효율이 떨어지고 이는 다시 초과 근무의 원인이 된다. 병원 업무는 인력 집약도가 높으며 업무 부담을 낮추기 위해서는 추가 인력의 고용이 필요하지만, 현재의 의료 비용 구조는 높은 인건비를 감당하기 어려운 상황이다. 이런 이유에서 간호 업무를 중심으로 인공지능을 도입해 간호 업무의 효율성을 높이고 의료 서비스의 질을 재고하려는 노력이 이뤄지고 있다.

① 포티투마루

포티투마루는 용인세브란스, 국립암센터 등과 함께 자연어 처리에 특화된 인공지능을 도입해 간호 업무를 효율화하고 있다. 먼저, 콜센터나 키오스크 등에 대화형 인공지능을 적용해 초진 환자를 위한 문진 서비스를 제공한다. 초진 환자의 경우 병력, 진료받고자 하는 증상, 현재 상태 등에 대한 문진이 필요하며 주로 간호사나 수련의가 해당 업무를 담당한다. 이런 초진 환자 문진의 경우 확인할 주요 사항이 정형화되어 있으며, 질의에 대한 환자의 대답을 정확하게 이해하고 처리하는 것이 서비스의 핵심이다. 의료 현장에서의 대화 데이터에 특화된 자연어 처리 엔진은 높은 정확도로 환자의 답변을 처리할 수 있다.

입원 병동에서 간호사 업무 보조를 위한 인공지능 서비스가 제공된다. 입원 병동에서 간호사는 일종의 민원센터와 같은 역할을 한다. 통증 등으로 몸이 불편해지거나, 진료나 검사를 위해 시간에 맞춰 이동해야 하거나, 긴급한 상태 변화에 담당 의사를 호출하는 등의 환자 관리부터 환자복을 바꿔입거나, 식사에 변동 사항을 발견하는 등의 환자 생활 관리에 대한 부분까지 1차적으로 간호사의 손을 거치게 된다. 이 가운데 환자의 이동, 담당 의사의 호출, 환자복이나 식사에 대한 내용은 사실상 간호사는 말을 전달하는 역할에 그친다. 이런 부분은 인공지능 스피커의 에이전트와 같은 간호 보조 업무에 특화된 인공지능 어시스턴트 기능으로 간호사의 업무를 대신할 수 있다. 그만큼 간호사는 환자 관리 업무에 집중할 수 있게 된다.

---

36) 빠르게 성장하는 디지털 헬스케어 인공지능 시장, 한국방송통신전파진흥원

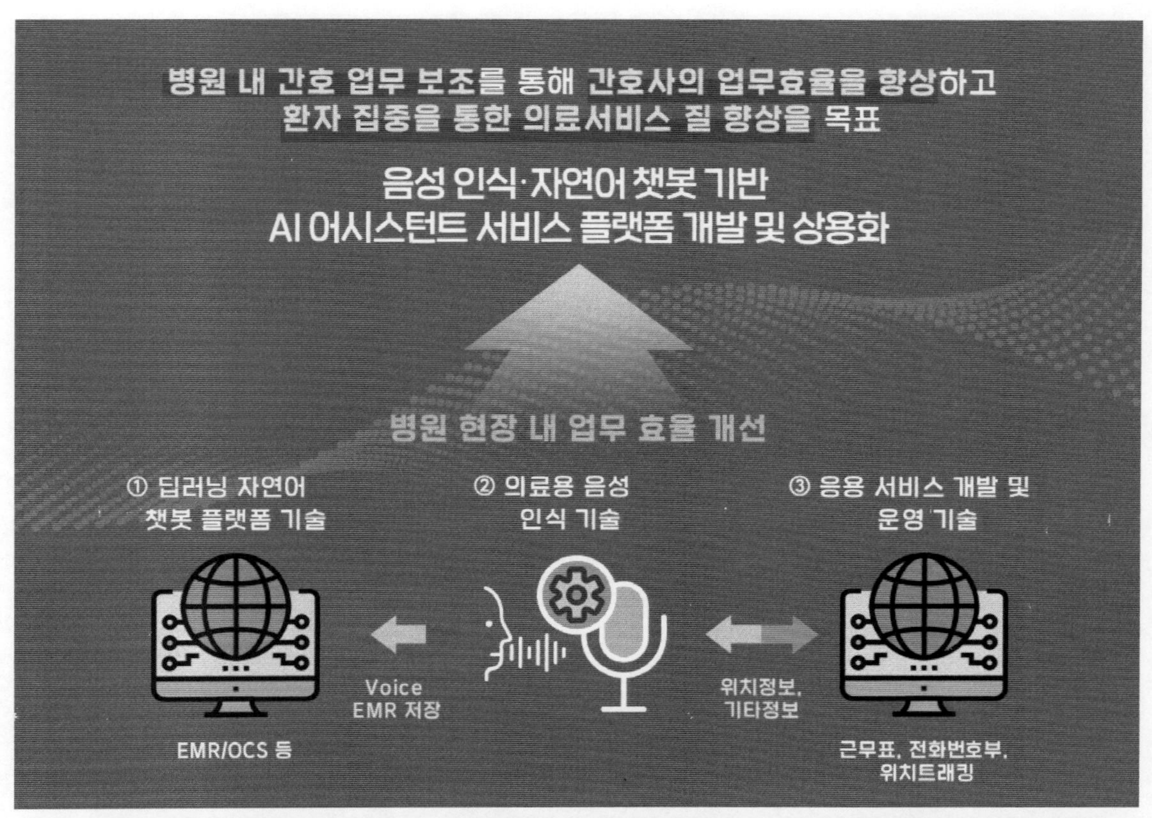

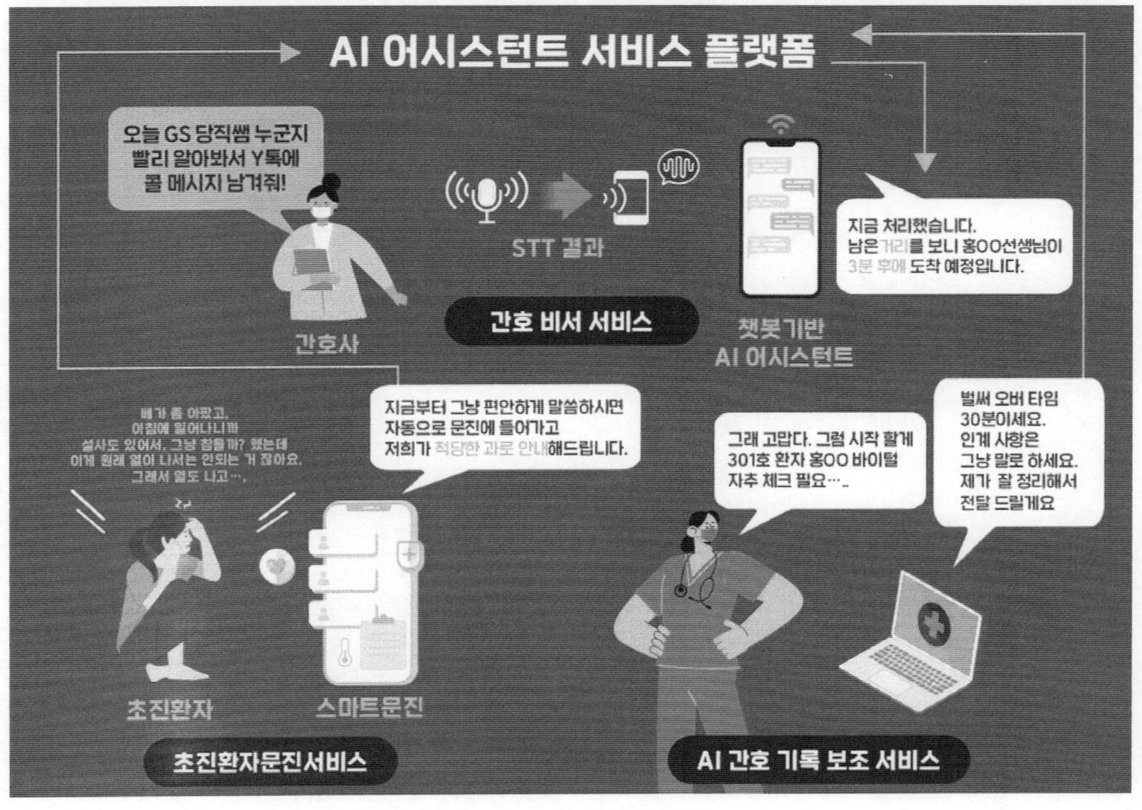

[그림 33] 포티투마루의 AI 어시스턴트

라. 인공지능 헬스케어 서비스 주요 사례[37)]

① 자가진단 : Babylon Health(영국)

Babylon Health는 영국 London에서 2013년 설립된 자가진단 AI 기반의 건강관리 서비스 유니콘 기업으로서, 2019년 상반기부터 대규모 투자를 집중 유치했고, 기업 가치는 약 20억 달러로 산정 및 연 매출 약 9백만 달러로 추정된다.

Babylon Health는 AI 기반의 의료데이터 분석과 사용자의 상담 내용에 최적화된 챗봇을 활용한 원격상담, 자가진단, 생활습관 모니터링 서비스를 제공한다. 이를 활용하면 의료인이 부족하거나, 의료인을 활용한 대면진료가 어려울 때, 환자의 중증도 등을 자가 진단할 수 있다.

사용자는 상담자와 챗봇 간 대화형 증상 입력 후, 이에 대한 AI 기반 질병 및 심각성을 추론하여 제공받는다. 이후 사용자들은 챗봇을 통한 자가진단을 확인하고 결과에 따라 1 : 1 원격상담을 추진하게 된다. 의사의 경우, 진단 과정에서 AI를 활용한 진료 지원 기능을 제공하고 있다.

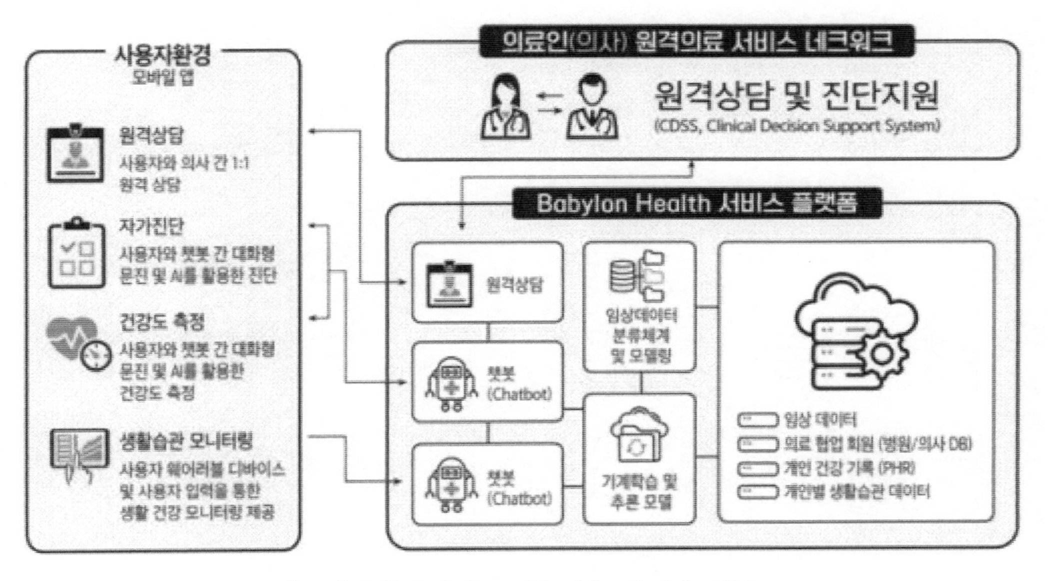

[그림 34] Babylon Health 서비스 개요

영국의 공공 건강서비스인 NHS(National Health Service)의 기존 온라인 상담 기능의 부분 대체를 목표로, Babylon Health의 자가진단 챗봇 서비스가 제공되고 있다. 국내의 경우 건강도 측정, 생활습관 모니터링은 가능할 것으로 전망된다.

원격상담은 건강 등 일반 상담 외 진료와 처방 관련 원격상담은 의사와 의사간 가능하며, 환자와 의사간 원격상담은 의료법 제34조에 의거하여 불가하다. 현재 Babylon Health의 원격상담 서비스 모델은 국내 의료법에 위배된다.

---

37) 해외 디지털 헬스케어 규제개선 동향, 문장원, 윤형진, 선미란, NIFA, 2019.12.11

자가진단은 AI를 활용한 개인의 특정 증상에 대한 질환 발생 가능성 상담은 의료법상 '진단'에 해당하여 비의료기관은 수행은 불가하다. Babylon Health는 비의료기관에 해당되기 때문에 자가진단 서비스 모델의 국내도입은 제한적이다.

② 건강 모니터링 : Proteus Digital Health(미국)

Proteus Digital Health는 미국 캘리포니아 소재의 기업으로 2001년 설립되었다. 본 기업은 의약품의 투약 및 생체정보를 모니터링 하는 유니콘 기업으로, 기업 가치는 약 1억 달러로 산정되며 연 매출은 약 2천만 달러로 추정된다. 2019년 11월을 기준으로 투자기관, Kaiser Permanente(보험/의료 융합), Oracle(ICT 솔루션) 등으로부터 4.87억 달러 누적 투자유치를 달성했다.

Proteus Digital Health는 복용 가능한 센서와 캡슐/정 의약품이 융합되어, 약물의 투입패턴 등을 의사와 환자가 모니터링 할 수 있는 서비스를 제공한다. 이를 통해 투약 일정 준수 등을 높여, 질병악화로 인한 사회적 손실 절감 효과를 창출할 수 있다.

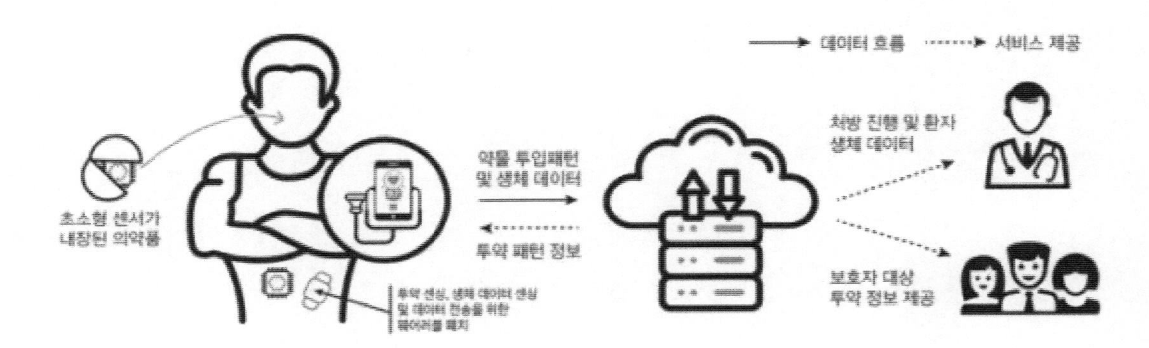

[그림 35] Proteus Digital Health 서비스 개요

Proteus Digital Health 서비스는 복용 의약품 내장형 센서, 환자 부착 패치형 통신/(추가) 센서 디바이스, 처방 이행 모니터링 솔루션으로 구성되어 있다.

서비스	내용
① 투약 감지 및 기록	• 센서 융합 약재(캡슐/정)가 위에 도달하여 용해 시, 센서와 웨어러블 패치 간의 통신을 통하여 약물 투입 시간을 감지 • 웨어러블 패치는 Proteus 제공 앱과의 통신을 통하여 서버에 저장 • 웨어러블 패치는 약 1주일간 사용 가능
② 환자 상태정보 기록	• 웨어러블 패치를 통한 의약품 복용 기록 외, 환자의 운동량, 심박수, 휴식시간 등을 검출하여 서버로 전송 • 사용자는 앱을 통하여 혈압, 혈당, 체중 등 정보를 개별 입력 가능
③ 의료인에 대한 처방 진행 및 환자 상태 데이터 제공	• 환자의 투약 일정 준수 및 관련 임상 데이터 제공
④ 환자 지정 관계자에 대한 투약정보 제공	• 환자가 지정하는 보호자, 지인 등에 대하여, 환자의 의약품 복용 정보를 제공

[표 21] Proteus Digital Health 서비스 구성

Proteus Digital Health의 경우 국내의 의료법 저촉 사항이 없어 도입이 가능하다. 복용하는 의료기기 관련하여, 국내에는 「캡슐내시경 평가 가이드라인(2011. 3.)」을 발간하여 캡슐내시경 관련 인증기준이 존재하나, 센서 내장형 의약품에 대한 인증기준은 모호하여 사업화 지체가 우려된다.

관련 규제는 없으나 사업 수행을 위한 기준 등이 모호하면 실질적으로 사업이 불가하므로 해당모델은 규제샌드박스 등을 통해 해결이 필요하다. 따라서 원할한 도입을 위하여 센서 융합형 의약품에 대한 임상검증 등 인증체계와 가이드라인 수립이 필요하다.

③ 의료서비스 : American Well

American Well은 미국 Boston 소재의 2006년 설립된 헬스케어 IT 기업으로, 2019년 11월 투자기관, Phillips, Anthem((보험), Jefferson Health System(의료서비스) 등으로부터 5.17억 달러 누적 투자유치를 달성했다.

American Well의 서비스는 ICT 서비스 플랫폼을 기반으로, 사용자(환자)와 의료기관(의사) 간 모바일 및 웹 환경에서 원격의료 서비스를 제공하고 있으며, 긴급의료, 소아의료, 뇌졸증(Stroke), 생활건강관리, 정신의학, 만성질환관리로 모듈화 되어있다.

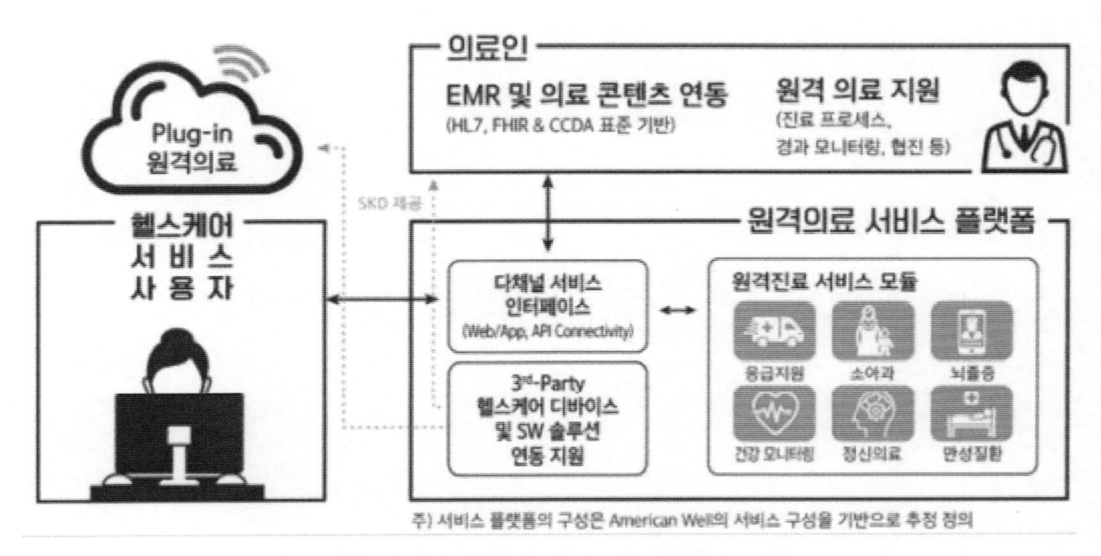

[그림 36] American Well의 서비스 개요

American Well의 수익 발생이 가능한 주요 고객은 보험사, 의료기관, 기업(임직원 건강관리)로 서비스를 제공하고 있다. 서비스 과금 체계는 ‘Pay per Visit’기준으로, 환자와 의사 간 원격진료 당 2016년 기준 평균 49달러 수준이다.

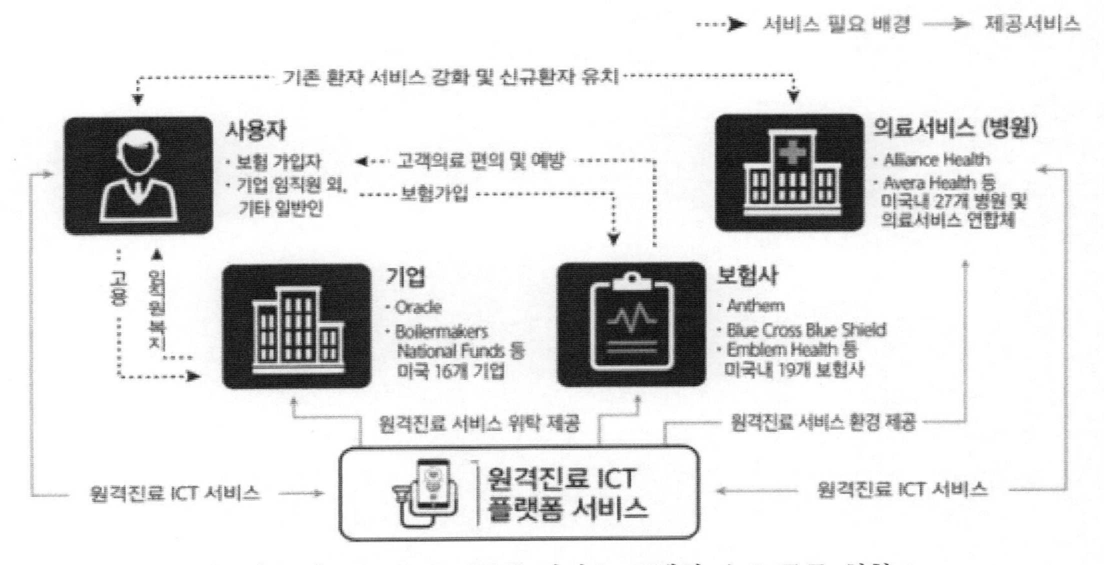

[그림 37] American Well 서비스 모델의 수요·공급 현황

American Well의 원격의료는 의료법에 저촉되어 도입이 불가하다. 국내 의료법 상 ‘대면진료’외 ‘원격진료’를 규제하고 있어, American Well의 서비스에서 ‘원격진료 플랫폼’을 여러 기관에 제공하는 것은 불가하다.

④ **의료정보서비스 ICT 플랫폼 : Oscar Health**

Oscar Health는 미국 New York 소재의 2012년 설립된 원격진료 ICT 서비스를 핵심 경쟁력으로 하는 보험사로 2019년 11월을 기준으로 투자기관 및 Alphabet(Google 지주회사) 등으로부터 13억 달러 누적 투자를 유치했다.

Oscar Health의 서비스는 보험사로 병원(의사) 네트워크를 구성, 보험 가입자(환자)의 위치 기반 의료인 리스트를 제공하고, 환자가 선정한 의사와 원격진료 또는 예약 기능을 제공한다.

[그림 38] 위치 기반 사용자 선택 원격 진료

Oscar Health는 민영 보험사로써 보험과 원격의료가 결합된 서비스 제공하여 보험을 활성화하고 있다. 원격의료의 주체인 의료인의 자체 고용이 아닌 협력 네트워크를 구성·운영하며, 디지털헬스케어 부분을 보험과 융합하여 위험군에 대한 측정 등 개인화, 맞춤형 보험 상품을 개발할 수 있다.

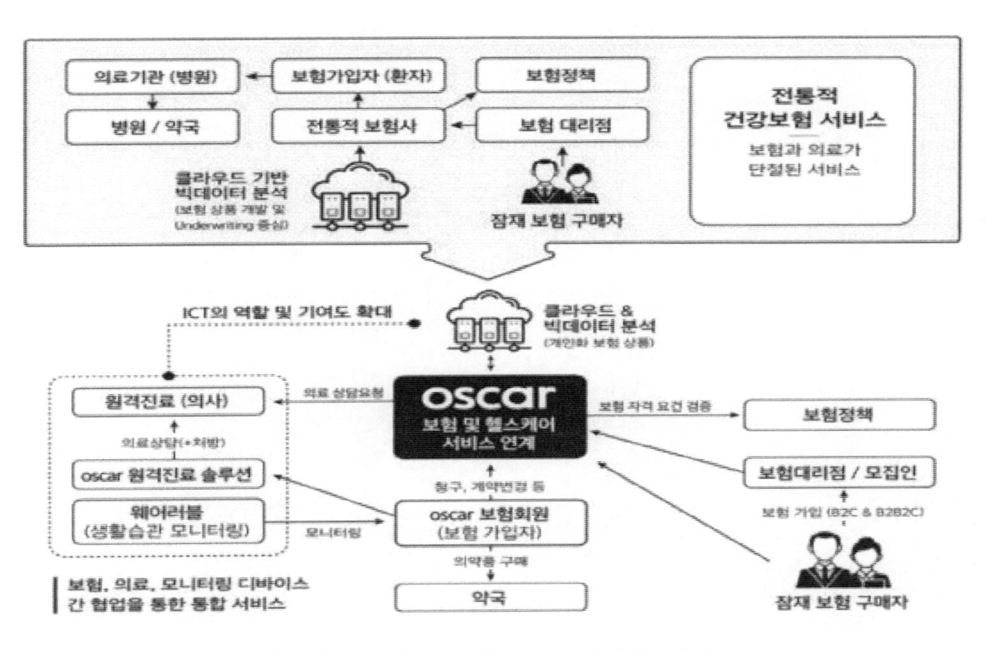

[그림 39] Oscar Health 서비스 개요

또한, 고객에 대한 개인화된 보험료 산정을 통해 Oscar의 보험료 절감 및 의사와 환자에 대한 시간 절감 및 편의를 제공한다.

[그림 40] 기대편익

Oscar Health의 원격의료, 의료알선은 국내 의료법 상 불가하다. 국내 의료법 상, '대면진료'외 '원격진료'를 규제하고 있기 때문에 "원격진료"가 핵심인 Oscar Health 서비스와 동일 또는 유사 헬스케어 모델의 국내 도입은 불가하다. 또한, 의료인에 대한 '영리를 목적으로 환자를 소개하는 행위'를 금지(의료법제27조 제3항)하기 때문에, 의료인을 서비스에서 임의 지정/알선할 경우, 알선에 해당한다.

⑤ 원격 모니터링: 가우스 서지컬(Gauss Surgical), 메디컬 인포메틱스(Medical Informatics)

원격 모니터링에 적용된 인공지능은 환자에게서 나오는 다양한 생체 신호를 분석하여 환자의 상태 이상을 미리 확인하고 환자나 의료진에게 경고를 하는 방식으로 작동한다. 환자가 스마트 워치나 스마트 링 등 웨어러블 디바이스를 착용하고 다양한 생체 신호를 수집하여 이를 인공지능을 통해 분석하는 방식이다. 사실 이런 방식은 원격 모니터링 상황에서뿐만 아니라 병원 내에서도 중환자실 등에서 환자의 다양한 생체 신호를 확인하고 의료진에게 정보를 제공하는 방식으로 사용되고 있다.

가우스 서지컬(Gauss Surgical)은 컴퓨터 비전을 사용하여 출산 중 혈액 손실을 모니터링한다. 출산 중 출혈은 산모가 사망하는 중요한 원인이지만 예방할 수 있다. 가우스 서지컬은 병원 적용 테스트에서 출산 시 출혈량을 의료진의 시각적 확인해 비해 4배 높은 정확도로 확인했다고 밝히기도 했다.

메디컬 인포메틱스(Medical Informatics)의 경우 머신러닝 기술을 적용해 환자의 바이탈 신호, 인공호흡기, EMR 데이터 등을 수집 및 합성하여 병상에 있는 환자의 상태를 모니터링하는 솔루션을 공급하고 있다.[38)]

---

38) 빠르게 성장하는 디지털 헬스케어 인공지능 시장, 한국방송통신전파진흥원

마. 원격의료

원격의료(Telemedicine, Telehealth)는 디지털 헬스케어의 한 분야로, 환자가 병·의원을 직접 방문하지 않더라도 정보통신기술(ICT)을 이용하여 적절한 진료·처방·모니터링을 하는 것을 의미한다. 이와 관련하여 원격진료란 병원 진료실에서 환자를 진료하던 것을 전화·문자·이메일·화상기술 등을 통해 원격으로 대신하는 것으로, 원격의료 중 일부분에 해당한다. 즉, 원격의료는 더 넓은 범위의 용어로 원격 환자 모니터링·원격수술을 포함하는데, 예를 들면 당뇨병·고혈압 등 지속적인 관찰이 필요한 환자들에게 필요한 것은 원격의료이고, 당장 아프기 때문에 병원에 가는 것을 대체하는 것이 원격진료이다.

현재 우리나라 의료법상의 원격의료는 '의료법상 의료인이 컴퓨터·화상통신 등 정보통신기술을 활용하여 원격지의 의료인에 대하여 의료지식 혹은 기술을 지원하는 것'이다. 즉 국내의 원격의료는 '의료인과 의료인 사이'에서 일어나는 의료 행위에 국한되어 있으며, 원격지의 의사는 '지원'만 할 뿐 진료행위는 할 수 없는 매우 제한적인 범위에 해당되는 의료행위라고 볼 수 있다.

구분		내용
원격의료	원격응급의료	의사와 지리적으로 고립되어 있거나 열악한 환경에 처해 있어 현지 의사에게 대면 치료를 받을 수 없는 환자를 원격으로 지원
	원격모니터링	주로 만성질환자를 대상으로 질병의 치료 및 관리를 목적으로 하는 서비스
	원격진료	의사가 정보통신기술을 통해 전송된 환자의 생체신호(음성, 혈당, 혈압, 맥박 등)의 측정치를 분석하고, 그 결과를 바탕으로 원격지의 환자를 상담하거나 진단 및 처방하는 의료행위
	원격방문간호	노인 및 거동불편자의 세대에 직접 방문해 전문적 의료서비스 지원
원격건강관리		건강관리서비스 기관에서 원격으로 서비스 이용자의 건강측정정보(맥박, 혈압, 혈당 등)를 전송받고 건강관리서비스(상담, 교육 및 운동지도 등)를 제공

[표 22] 원격의료의 유형

바. 인공지능·빅데이터 기반 독립형소프트웨어의료기기 개발 사례

1) 의료영상활용

의료영상을 활용한 인공지능 및 빅데이터 기반 독립형소프트웨어의료기기는 방사선 영상 및 MRI, CT 등 의료영상을 활용하여 암진단, 골연령, 폐결절 등 의사의 진단을 보조하기 위한 사용 목적으로 관련기술이 활발히 개발 중에 있다.

국가 및 기업명	제품명	내용
Enlitic(미국)	Patient triage	• 촬영된 환자의 방사선 영상을 1차적으로 판독하여, 판독결과에 따라 적절한 의료진을 매칭시키는 인공지능 기반 독립형 소프트웨어의료기기
NVIDIA Corporation(미국)	NVIDIA DIGITS	• 딥러닝 기반 암진단 독립형소프트웨어의료기기 • 촬영된 환자의 영상 속 암세포를 판별하여 표시하는 기능을 가짐
구글 딥마인드 (미국)	-	• 복수의 안과질환을 정확하게 판별 가능한 기술 개발 • 3차원 영상인 빛 간섭 단층촬영(OCT)으로부터 다양한 안과적 비정상 영역을 딥러닝 모델로 정확하게 분할하여 판별
텐센트(중국)	미잉(Mying)	• 의학 영상 분석 및 보조 진단 인공지능 소프트웨어의료기기 개발 • 중국 내 백여 개의 3급 대형병원과 협력을 거쳐 의사의 진단을 보조하여 700여 종의 질병 예측
뷰노	VUNOmed-Bone Age	• 인공지능 기술을 이용하여 엑스레이 영상을 분석, 환자의 뼈 나이를 제시하고, 의사가 제시된 정보 등으로 성조숙증이나 저성장을 진단하는데 도움을 주는 독립형 소프트웨어의료기기
루닛	Lunit INSIGHT	• 엑스레이 촬영한 환자의 흉부 영상을 입력·분석하여 폐결절이 의심되는 부위의 정도를 표시하여 의사가 폐결절을 진단하는데 도움을 주는 독립형소프트웨어의료기기
제이엘케이 인스펙션	JBS-01K	• 자기공명으로 촬영한 환자의 뇌 영상과 심방세동 발병 유무를 입력하면 뇌경색 패턴을 추출·제시하여 의사가 뇌경색 유형을 판단하는데 도움을 주는 독립형 소프트웨어의료기기

국가 및 기업명	제품명	내용
㈜에임즈	EyeView	• 개발 중 • 인공지능으로 기반의 추론 모델을 이용하여 안저카메라로 촬영한 환자의 안저 영상으로부터 녹내장 여부를 판독하는 소프트웨어 의료기기
㈜딥노이드	DEEP:NEURO -CA-01	• 개발 중 • 빅데이터 및 인공지능(AI) 기술을 이용하여 사람의 뇌혈관 MRA(Magnetic Resonance Angiography;자기공명혈관조영술) 영상에서 뇌동맥류로 의심되는 이상 부위를 검출하여 의료인의 진단결정을 보조하는데 사용하는 소프트웨어 의료기기
에프앤디파트너스	MEDISCOPE	• 인공지능 기술을 이용한 의료영상 검출 보조 소프트웨어로서 피부 의료영상이 입력되었을 경우 흑색종 검출 여부를 도와주는 소프트웨어 의료기기
(주)디엔	-	• 개발 중 • 시선 추적 및 안구운동 검사 영상 장치에 의하여 얻어진 이미지 데이터를 인공 지능 프로그램을 이용하여 사시 진단의 정확도를 높여 의료인의 진단 결정을 보조하는데 사용하는 소프트웨어 의료기기
리드브레인	RB-A-01	• 개발 중 • 인공지능 기술로 학습된 자기공명영상장치(MRI, Magnetic Resonance Imaging)의 DWI (Diffusion Weighted Imaging), GRE (Gradient Echo), MRA(Magnetic Resonance Angiography)를 기반으로 의사가 뇌경색을 진단을 판단하는데 도움을 주는 독립형 소프트웨어의료기기
크레스콤	MEDAI-01	• 개발 중 • 인공지능 딥러닝 분석 기법으로 손뼈 X-ray 영상에 대해 Tanner-Whitehouse 3 (TW3) 골연령 평가방식 기반에 Greulich-Pyle(GP) 방식을 통합하여 골연령을 정밀 자동 분석한 결과를 확인하여 의사가 판단하는데 도움을 주는 독립형 소프트웨어의료기기
휴런	mPDia	• 개발 중 • MR(Magnetic Resonance)영상과 임상 정보로 이루어진 데이터를 학습하여 의료진의 퇴행성 파킨슨 증후군 진단결정을 보조하기 위한 독립형소프트웨어 의료기기
클라리파이	ClariCT.AI	• 인공지능기술을 활용하여 환자의 CT 영상 속 노이즈를 제거하여 영상을 더 선명하게 출력하는 의료영상전송 장치소프트웨어

표 24 의료영상 활용 독립형소프트웨어의료기기의 국내외 기술현황

2) 생체데이터 기반

생체신호는 전통적 생리 지표인 체온/맥박/혈압/호흡/혈당뿐만 아니라, 센서/웨어러블/통신 기술 발달에 힘입어 신체활동/뇌파/심전도/산소포화도 등이 있다. 이러한 의료정보를 기반으로 한 인공지능 의료기기의 경우 환자의 생체신호 데이터를 활용하여 암 진단, 심장질환, 사망위험 예측 등 병변진단 및 의사의 진단을 보조를 위한 기술이 활발히 개발 중이다.

기업명	제품명	내용
구글 딥마인드	-	• 개발 중 • 급성 신부전증, 염증으로 인한 환자 위험상황을 검출해내는 인공지능 기반 독립형소프트웨어 의료기기 • 측정된 환자의 생체신호를 분석, 위험 요인 감지 시 의료진에게 전송하여 빠른 대응을 할 수 있게 함
GE Healthcare, Roche	Clinical decision support	• 개발 중 • 수집된 환자의 데이터를 이용하여 의료진의 판독에 도움을 주는 인공지능 기반 독립형 소프트웨어의료기기
Philips	MOM (Mobile Obstetrics Monitoring)	• 개발 중 • 임산부를 위한 임신 관리 독립형 소프트웨어의료기기 • 임신 중 측정한 생체신호를 기반으로 위험요소를 감지하고, 감지된 위험요소를 의료진에게 알려 적절한 진단 및 치료를 가능하게 함
Microsoft Corporation	Project Hanover	• 개발 중 • 머신러닝 기법을 이용하여 암진단, 만성질환 진단을 돕는 독립형 소프트웨어의료기기
뷰노	VUNO Med-DeepEWS	• 개발 중 • 인공지능 기술을 이용하여 환자의 전자의무기록에서 활력징후를 전송받아 통합 분석하여 위험도 수치를 표시해주는 소프트웨어 의료기기
에비드넷	-	• 개발 중 • OHDSI(Observational Health Data Sciences and Informatics) CDM기반으로 다기관 의료 빅데이터 분석 기술
삼성SDS& 빈티지랩	유방암 실시간 발명 및 재발 예측을 위한 프로세스	• 개발 중 • 삼성서울병원과 같이 건강검진 자료 및 EMR 자료를 이용해 유방암 환자 재발 위험도 및 발생 위험도 예측

기업명	제품명	내용
3Billion	3Billion 유전체분석 시스템	• 개발 중 • 희귀질환환자 유전체 분석을 통한 진단 및 치료 기법 제공
셀바스AI	Selvy	• 개발 중 • 심장음, 심전도 분석을 통한 심장질환 발병 위험도 예측
엘렉시	Philo	• 개발 중 • 뇌파를 분석하여 뇌전증 발작 시간 예측
아이메디신	iSyncBrain	• 임상시험완료 • 뇌파데이터를 이용하여 기억장애형 경도인지장애(amnestic Mild Cognitive Impairment, aMCI, 알츠하이머 치매 전 단계)확률을 인공지능 알고리즘을 통해 그 결과를 제시

표 26 생체데이터 기반의 독립형소프트웨어의료기기의 국내외 기술현황
39)

39) 「2020 신개발 의료기기 전망 분석보고서」 2020.3월, 식품의약품안전처

05. 인공지능 헬스케어 기업 동향

5. 인공지능 헬스케어 기업 동향[40)]

세부 분류	기업	서비스내용
치료	Ieso	AI 기반의 심리 치료
	Kaia Health	AI 기반의 디지털 요통 치료 방법
	Lyra Health	정신 질환 환자에 적합한 심리치료사 및 치료 프로그램
	Nurx	피임약 원격처방 및 배송 서비스
	Phil	원격조제 및 배송 서비스
진단/진료	Ada Health	AI 기반 원격 진료 및 지식
	amwell	온라인 원격 방문 진료 서비스
	Babylon Health	AI 기반 원격 진료
	Bigfoot Biomedical	엔드 투 엔드 타입 1 당뇨병 관리 시스템
	Bright.md	환자 증상 진단 AI 챗봇 및 원격의료
	Call9	요양 및 재활 환자 대상 원격진료
	DOC+	의사 호출 모바일 애플리케이션
	DocDoc	아시아 환자 역량 강화를 위한 의료 고문
	docprime	의사찾기, 온라인 상담, 약 주문 등의 온라인 원격 의료 지원
	Doctor On Demand	정신과 의사 및 면허가있는 심리학자와 비디오 방문
	K Health	AI 챗봇으로 환자 증상 분석 후 진단, 치료법 및 의료진 추천 서비스
	KRY	원격진료 애플리케이션
	Maven	원격진료 애플리케이션
	Medically Home	일반적인 의학 진단에 대한 가정에서의 가상 병원 제공
	Min Doktor	온라인 원격 상담 및 진료
	Mindstrong	스마트폰 사용 패턴을 기반으로 사용자의 정신건강 분석 및 필요 시 의사와 원격상담
	More Health	의료진의 2차 소견 서비스
	Quartet Health	심리치료사 추천 및 환자 맞춤형 정신건강 프로그램
	SigTuple	AI를 사용하여 혈액, 소변 및 정액 테스트에 대한 원격 진단 제공
	Virta	2형 당뇨병 및 기타 만성 대사 질환을 관리
질환 케어	Clover	데이터 분석 및 예방 치료를 통한 노인의 건강 보험개선 및 원격 진료
	Consejo Sano	개인의 보험 정보 및 진료 데이터 관리 서비스
	Suki	AI 음성 인식 의료차트 입력 서비스

[표 27] 의료 서비스 분야 기업

40) 해외 디지털 헬스케어 규제개선 동향, 문장원, 윤형진, 선미란, NIPA, 2019.12.11

세부 분류	기업	서비스내용
진단/진료	Advanced ICU Care	ICU(집중 치료)환자를 위한 임상 대응 플랫폼
	Bridge Connector	의료기관 간 EMR 을 교류할 수 있는 클라우드 기반 플랫폼
	CareSyntax	수술 관련 데이터 분석 및 통계 정보
	Cloudbreak Health	전국의 통합 원격 의료 서비스를 제공하는 엔터프라이즈 솔루션 플랫폼
	Conversa Health	EHR 기반 환자 질병관리 플랫폼
	Doximity	의사와 고급 임상의를 연결하는 보안 의료 네트워크
	DrChrono	건강 관리 EHR, 실습 관리, iPad/iPhone 및 웹 플랫폼에 중점을 둔 API 제공
	Form Labs	의료 응용 프로그램에 대한 데스크톱 3D 인쇄 기능
	Medopad	모바일 장치의 건강 데이터를 통합하고 의사가 사용할 수 있는 응용 프로그램 생성
	OSCAR	기술 및 데이터를 사용한 건강보험 서비스
	Owkin	R&D 기술을 강화하기 위한 인공 지능 및 기계 학습에 대한 전문 지식
	Redox	클라우드 기반의 의료기관 간 데이터(EMR, 청구데이터 등) 교류 플랫폼
	Remedy Partners	의료 서비스 제공자를 위한 소프트웨어, 분석 및 관리 서비스
	Sensome	원격모니터링 및 데이터 관리 플랫폼
	TEMPUS	임상 및 분자 데이터 라이브러리 구축 플랫폼
	Vezeeta	MENA(중동 및 아프리카 지역)의 환자에 대한 의료 서비스 제공 및 관련 서비스와 연결
	Viz.ai	뇌졸중의 급성 치료를 개선하기 위해 의사와 협업하는 인공 지능 헬스 케어
	zymergen	생명과학 연구를 위해 자동화, 머신 러닝 및 유전체학을 통합한 플랫폼

[표 28] 의료 서비스 분야 기업

세부 분류	기업	서비스내용
질환 케어	AlayaCare	가정간호 환자 데이터 관리 및 원격모니터링
	Health Reveal	AI 기반 환자의 EHR 을 토대로 만성질환자 예후 예측 서비스
	Heart Flow	CT로 구현된 3D 이미지를 통한 관상 동맥의 진단 및 관리
	HeartFlow	심혈관 어플리케이션을 위한 소프트웨어
침습 모니터링 디바이스	GRAI	암 조기발견을 위한 혈액 샘플링 장치 개발
	LindaCare	체내에 이식한 기기로부터 축적된 데이터 관리 및 환자 원격 모니터링
	Murj	체내 이식 심장박동기 데이터 관리 및 환자 원격 모니터링
	Quiknos	지방 병원의 환자 검체(혈액, 소변 등)를 검사실로 배송 및 검사 수행
생체 모니터링 디바이스	Ava	웨어러블 기기를 통해 수집된 정보로 월경주기와 가임기 예측 서비스
	Electronic Caregive	자동 홈 케어 솔루션 및 안전 장치 제공
	Fitbit	건강 모니터링을 위한 웨어러블 기기
	Helix	DTC 유전자 검사
	Let's Get Checked	DTC 생체물(피, 소변 등) 검사
	NeuroMetrix	만성 통증, 수면 장애 및 당뇨병을 포함한 만성 건강상태 모니터링 기기
	Pivot	일산화탄소 측정이 가능한 웨어러블 기기로 환자 맞춤형 금연 코칭 서비스
	Snap40	AI 기반 환자 원격모니터링 웨어러블 기기
생체 정보 인식	EarlySense	비접촉 센서 및 분석 플랫폼을 사용하여 환자를 실시간으로 모니터링
	proteus	소화 가능한 센서를 통해 수집된 약 복용에 대한 데이터를 스마트폰이나 클라우드를 통해서 기록하고 공유
	Simple Contacts	애플리케이션을 통한 시력검사 및 콘택트렌즈 원격처방 애플리케이션
건강 보조	Viz	AI 기반 CT 영상 분석기술을 바탕으로 뇌졸중 환자 식별

[표 29] 건강 모니터링 서비스 분야 기업

세부 분류	기업	서비스내용
건강 보조	23andMe	사용자가 조상, 계보 및 유전적 특성을 연구할 수 있는 인간 게놈 연구
	Aaptiv	사용자 맞춤 운동 동영상 제공
	bright HEALTH	건강 보험 제품 및 서비스
	Cure Fit	개인 건강관리(식습관, 정신건강, 피트니스, 의료) 코칭 서비스
	CureApp	사용자의 습관에 기반한 맞춤형 금연프로그램 제공
	Hinge Health	근골격계 통증 완화를 위한 운동방법 제공
	Omada	임상적으로 지원되고 증거에 기반을 둔 집중적인 행동 변화 프로그램

[표 30] 자가관리 서비스 분야 기업

가. 국외 기업

1) 애플

[그림 41] 애플

애플의 헬스케어 진출 전략은 의료 데이터를 관리하는 플랫폼 사업과 웨어러블을 이용한 건강 데이터 수집이 양대 축을 이루고 있다. 애플은 다양한 모바일 헬스케어 앱을 기반으로 헬스케어 사업을 전개하고 있다. 애플의 헬스케어 플랫폼은 Healthkit(2014년), Reserachkit(2015년), Carekit(2016년)의 헬스케어 플랫폼을 개발하였으며, 아이폰을 비롯한 애플 스마트 기기 사용자를 대상으로 연구자의 임상 시험 및 개인의 건강관리에 활용하고 있다.

Healthkit은 다양한 센서에 의해 측정된 사용자의 건강정보를 수집하고 분석 및 활용 서비스를 제공하는 플랫폼으로 헬스킷의 프로토콜을 적용한 활동량 측정계, 체중계, 혈당·혈압 측정계 등 다양한 장비들이 측정한 정보를 모아 의료진 및 병원에 원격으로 전달해 주는 건강관리 플랫폼이다.

Reserachkit은 연구자들이 애플 제품 사용자를 대상으로 의학 임상 시험을 할 수 있는 플랫폼으로 전 세계에 분포한 아이폰 사용자 수로 인해 방대한 규모의 지원자 모집 및 데이터의 수집이 가능하다.

Carekit은 개인의 건강 상태에 대한 이해도를 높이고 이를 스스로 관리할 수 있게 해주는 플랫폼이다.

즉, Reseachkit은 연구 참가자 등록 및 연구 진행을 쉽게 만들어 줌으로써 많은 양의 데이터를 바탕으로 의학연구를 발전시키며, Carekit을 활용하여 자신의 건강상태를 자신이 직접 관리할 수 있게 해줌으로써 병원에만 의존할 필요없이 스스로 증상과 처방약의 정기적인 모니터링이 가능해졌다.

또한, 2018년 애플은 애플 헬스 레코드(Apple Health Record) 플랫폼을 선보였는데, 이는 개별 병원의 전자의무기록(EMR)에 저장된 진료 기록, 처방 기록, 진단검사 결과, 예방주사 기록 등을 환자가 자신의 아이폰으로 받아올 수 있도록 한다.

HealthKit가 환자가 생성하는 의료 데이터를 아이폰을 기반으로 통합하는 플랫폼이라면, 애플 헬스 레코드는 병원에서 측정되는 즉, 전통적인 의미의 의료 데이터를 아이폰을 기반으로 통합하는 플랫폼이라고 할 수 있다.

애플 헬스 레코드와 연동되는 병원은 출시 직후부터 폭발적으로 증가하고 있으며, 2018년 출시 당시에는 존스홉킨스, UC샌디에고 등 12개의 병원이 연동되었으나, 출시 후 두달이 지난 2018년 3월에는 연동된 병원이 스탠포드와 듀크 대학병원을 포함하여 39개로 늘어났다. 또한 8월에는 75개 병원으로 늘어났으면, 2019년 2월 기준 200여개의 병원이 애플 헬스 레코드에 연동되어있다.[41)]

이처럼 애플은 건강 데이터와 정보를 추적할 수 있는 앱을 출시했으며 웨어러블인 애플워치는 의료기기로 FDA 인증까지 받았다. 2021년에는 침 없이 혈당 수치를 측정할 수 있는 일명 무채혈 기술특허를 취득했으며, 향후 출시될 웨어러블에 적용될지 업계가 주목하고 있다.[42)]

41) 애플 헬스 레코드: 아이폰으로 자신의 진료기록을 관리한다. 최윤섭, 최윤섭의 헬스케어 이노베이션, 2019.02.18
42) 디지털 헬스케어의 개화 원격의료의 현주소, PwC Korea, 2022.07

2) 구글

[그림 42] 구글

구글의 지주사인 알파벳은 자회사 베릴리, 칼리코, 딥마인드 등과 함께 헬스케어 데이터 및 인공지능 연구를 진행하고 있다. 베릴리는 헬스케어 데이터를 활용한 질병예방에 집중하기 위해, 다양한 헬스케어 분야 선도기업들과 합작회사를 설립했다. 칼리코는 인간 수명의 획기적인 연장을 위하여 다양한 기술들을 접목하고 있으며, 현재 Broad Institute 및 Abbvie 등과의 공동연구를 진행하고 있다. 마지막으로 딥마인드는 인공지능 기술을 활용하여 단백질 3차원 구조분석 데이터베이스를 공개하였으며, 최근에는 인공지능 기반 신약 개발 기업 '아이소모픽 랩스(Isomorphic Labs)'의 설립을 발표했다.

구분	내용
실시간 혈당관리	- 인공지능 기술을 이용하여 당뇨병 환자에게 정확한 혈당수치를 알려주는 기술
건강관리법 안내	- 스마트폰의 구글 핏을 통한 개인의 체중, 활동량, 체지방량 등의 정보를 학습해 건강상태를 알려주는 것으로 향후 비만 예방법 기술로 발전 예정
노화방지 치료	- 노화를 일으키는 세포를 탐지한 다량의 환자 정보를 학습한 인공지능이 환자 개별 맞춤형 치료제 제시
유전자 분석 질병 예방	- 환자의 유전자 정보를 바탕으로 인공지능을 접목하여 질병 예방법 제공
수술로봇 개발	- Johnson and Johnson과의 공동연구를 통해 인공지능 기술을 이용한 수술 로봇을 개발하여 의사에게 정확한 수술부위 안내 및 수술 방법을 안

[표 31] 구글 인공지능 헬스케어 서비스 개발 현황

최근 구글은 블로그를 통해 구글이 최근 진행중인 연구를 소개했다. 이번에 공개한 연구들은 의사들이 환자 진료에 더욱 효율적으로 대응할 수 있는 사용하기 쉬운 도구를 제공하는 것을 목표로 하고 있다.

첫 번째는 ARDA(Automated Retinal Disease Assessment)라고 부르는 당뇨병 합병증은 망막 뒤쪽에 만들어진 병변이 계속해서 진행하면 실명까지 유발할 수 있다. 그래서 당뇨병성 망막증을 조기에 진단하고 치료하지 않으면 당뇨병 환자에게 치명적인 결과를 초래한다. 현재 안과 검진에서 사용하는 카메라로 촬영한 사진을 인공지능으로 학습해 당뇨병성 망막증을 진단하는 연구가 진행 중이다.

지금까지 매일 350명의 환자의 데이터를 선별해 10만 명의 환자에 대한 ARDA 연구를 태국에서 진행했으며, 안과 검진을 통해 여러 지역에 안전하게 배포할 수 있는 전향적인 연구 결과를 얻었다고 전했다. 아울러 딥 러닝(deep learning)을 활용해 눈의 내부 사진을 분석하고, 고혈당이나 콜레스테롤 수치와 같은 심혈관 위험 요소를 파악하는 연구를 진행하기도 했다.

두 번째는 휴대전화 카메라와 마이크를 건강이나 질병 진단에 참고할 수 있도록 하는 것이다. 스마트폰에 탑재된 카메라를 활용해 심박수와 호흡수를 측정하는 것은, 다양한 종류의 안드로이드 스마트폰이나 아이폰에서 가능하다. 이미 이와 관련된 '스마트폰 기반 심박수 및 호흡수 측정 알고리즘의 전향적 검증'이라는 연구자료도 찾아볼 수 있다.

현재는 스마트폰에 내장된 마이크를 가슴 위에 올려놓고, 심장 소리를 녹음하고 이를 활용해 질병을 진단하는 연구를 진행 중이다. 청진기를 활용해 폐와 심장 소리를 듣는 것은 일반적인 임상 진료과정에서 매우 중요하다. 예를 들면 대동맥 협착증이나 심장 판막 장애와 같은 질병을 징후를 발견할 수 있기 때문이다. 이러한 징후를 기반으로 정밀 검사를 진행하거나 필요한 다른 검사를 통해 질병 유무나 상태를 파악할 수 있다.

세 번째는 산모 건강을 개선할 수 있는 초음파 분석을 연구 중이다. 초음파 분석이 아직까지는 스마트폰과 접점을 찾을 수 있는 부분이 아니지만, 임신 초기 산모와 태아의 건강 상태를 확인하는 데 초음파 진단이 매우 효과적이기 때문이다. 하지만 소득이 낮은 국가에서는 초음파 판독을 할 수 있는 전문 지식을 갖춘 의료진 부족으로, 실제 의료 현장에서 초음파를 활용하는 경우가 전체의 절반 정도에 불과하다.[43)]

43) 구글, 스마트폰+AI 활용 헬스 프로젝트 소개, CIOKorea, 2022.03.28

3) 아마존[44][45]

[그림 43] 아마존

아마존은 2018년 온라인 약국 필팩(Pillpack)을 10억 달러에 인수하면서 의료시장에 첫발을 내딛었다. 아마존은 필팩의 환자 의료 데이터를 확보 후 2020년 말 아마존 약국(Amazon Pharmacy)을 출범하면서 처방약 온라인 판매를 시작했다. 또한, 헬스케어 스타트업 젤스(Xealth), 대형병원과 파트너십을 맺어 의료용품 배송 서비스 사업을 본격적으로 시작했다.

아마존은 전자의무기록(EMR)과 원격의료에 관한 사업도 꾸준히 추진하고 있다. 2021년부터 원격의료 서비스 아마존 케어(Amazon Care)를 미국 전역에 위치한 자사 직원들에게 제공하고 있으며, 다른 기업에도 서비스를 개방할 계획이다.

'아마존 케어'는 온라인 진료 서비스뿐만 아니라 가정이나 사무실에 직접 방문 진료 서비스가 가능하다. 또 처방전을 집까지 배달 서비스도 포함됐다. 이는 가상 케어와 대면 케어를 모두 제공하는 형태다. 전용 앱을 이용한 온라인 진료 서비스는 감기나 알레르기, 감염, 가벼운 상해 등 신속한 조치가 필요한 증상에 대한 진단이나 조치를 받을 수 있다. 또한 각종 건강 상담, 예방 접종에 관한 상담, 피임 및 성병 등에 관한 상담 서비스를 받을 수 있다.

앱에서 텍스트 채팅은 간호사와 메시지 교환이 가능하며, 건강에 관한 모든 상담과 조언을 즉시 받을 수 있다. 또한 화상 채팅을 이용하면 보다 전문적인 진료를 의사 또는 간호사가 대응한다. 특히 세밀한 진찰이 필요하다고 판단된 경우 가정이나 사무실에 간호사를 파견하는 '모바일 케어(Mobile Care)'라는 서비스를 받을 수 있다. 그 밖에도 처방전을 집이나 사무실에 보내달라고 할 수 있는 '케어 커리어(Care Courier)'도 2시간 이내에 받을 수 있다.

44) 아마존, "헬스케어 시장도 석권한다"…'아마존 케어' 출시, IT뉴스, 2019.09.26
45) 디지털 헬스케어의 개화 원격의료의 현주소, PwC Korea, 2022.07

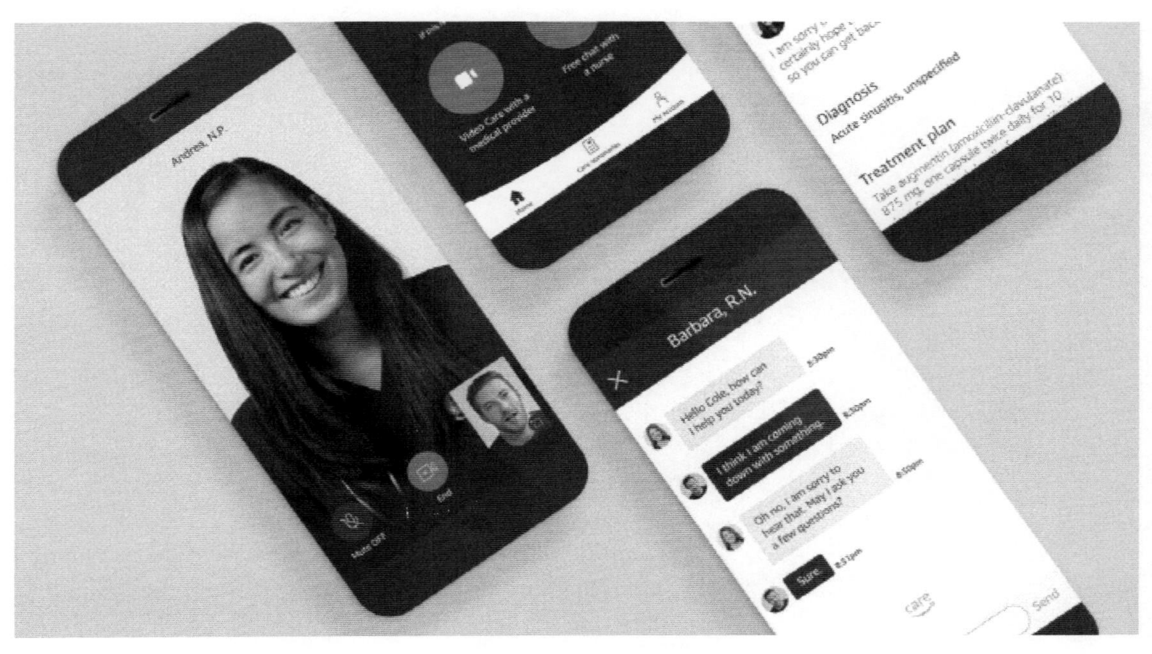

[그림 44] 아마존 케어

아마존은 최근 건강 추적기 헤일로(Halo)를 출시하면서 웨어러블 시장에도 진출했다. 헤일로는 사용자의 음성으로 신체적·정신적 이상을 감지하고 스마트폰 카메라로 체지방률을 계산할 수 있다.

[그림 45] 아마존 헤일로 밴드

4) 마이크로소프트[46)]

[그림 46] 마이크로소프트

마이크로소프트는 클라우드 컴퓨팅 플랫폼 애저(Azure), 인공지능 등을 활용해 헬스케어 산업의 디지털 전환을 지원하고 있다. 클라우드 플랫폼 에져를 통해 의료인은 환자 방문 예약 및 비대면 진료를 수행하고, 환자의 의료기기 모니터링이 가능하다.

마이크로소프트의 통합 클라우드 플랫폼 애저를 활용해 유의미한 효과를 거둔 의료 현장의 사례도 적지 않다. 옥스너(Ochsner)의 헬스 시스템은 애저 기반의 머신러닝 기술로 심정지 확률이 높은 환자에 대한 알림과 여러 중요한 정보를 의사에게 실시간으로 제공한다. 이를 통해 의료진은 관심이 필요한 환자를 선별해 집중 관리할 수 있으며, 90일간의 파일럿 테스트를 통해 위험 상황 발생률이 44% 감소시킬 수 있었다.

매년 7500명의 아동 환자를 치료하는 미국 세인트 쥬드 아동연구병원은 유전체 분석 툴을 제공하는 DNA넥서스(DNAnexus)와 협업을 맺고, 마이크로소프트의 클라우드 애저를 활용해 의료진들의 실시간 협업과 유전체 데이터 공유를 지원하고 있다. 이를 통해 전 세계 16개국 450곳이 넘는 기관의 연구원들은 데이터 다운로드 시간을 몇 주에서 분 단위로 단축할 수 있었으며, 복잡한 계산 분석 파이프라인에 쉽게 접근할 수 있게 됐다. 이렇게 향상된 데이터의 가용성은 소아암 근절과 아동 생명을 위협하는 각종 질병을 치료할 수 있는 토대를 마련했다.

클라우드 기반 유전체 분석 서비스 '마이크로소프트 지노믹스(Microsoft Genomics)'는 애저를 통해 의료진이 방대한 유전체 데이터를 실시간으로 점검·분석하도록 지원한다. 대표 사례로는 미국 생명공학기업 '어댑티브 바이오테크놀로지스(Adaptive Biotechnologies)'와 진행 중인 면역 체계 분석 프로젝트가 있다.

마이크로소프트의 머신러닝, 클라우드 컴퓨팅 기술을 기반으로 면역 체계를 분석해 암, 전염병, 자가면역 등의 질환을 조기 감지하고 효과적으로 치료할 수 있도록 지원한다. 의료 정보는 개인 정보 중에서도 특히 민감한 정보로 분류되는 만큼, 보관과 취급에 각별한 주의가 요구되는 데이터다. 이를 위해 마이크로소프트는 매년 보안 부문에 1조 원 이상을 투자하고 약 3500명의 보안 전문가를 고용해 사이버 위협에 대응하고 있다고 밝혔다.

또한, 최근 마이크로소프트는 클라우드 헬스 기술 확장을 위해 시리(Siri)를 만든 뉘앙스(Nuance)를 197억 달러에 인수하기도 했다.[47)]

---

46) AI와 애저 플랫폼으로 지원하는 MS의 헬스케어 산업, 이건한, 테크월드, 2019.08.14
47) 디지털 헬스케어의 개화 원격의료의 현주소, PwC Korea, 2022.07

5) 알리바바[48]

[그림 47] 알리건강

알리바바는 계열사 알리건강을 중심으로 AI·빅데이터 기반 디지털 헬스케어 밸류체인을 구축했다. 알리바바는 현재 온라인 진단, 클라우드 병원, 모바일App, 의약품 트레킹 서비스 등 온라인 헬스케어 사업을 영위 중이며, 중국 온라인 의약품 시장 1등 플랫폼 입지를 구축했다.

알리건강의 주요 사업부는 5개로 나눌 수 있다.

① 의약품 직접 유통

알리건강은 의약품 직접 유통 플랫폼인 '알리건강 대약방', '티몰 글로벌'을 운영하고 있다. 또한, 코로나 위기에 정부가 파일럿으로 허가한 '크로스보더 이커머스 의약품 비즈니스' 라이선스를 획득했으며, 동 기간 '만성질환 복지 프로그램(Chronic Disease Welfare Program)' 서비스를 개시하였다. 알리건강은 계열사 시너지를 활용하여 온라인 처방약 시장을 선점했다.

② 약품 이커머스

알리건강의 의약품 이커머스 사업부는 티몰의 관련 사업을 순차적으로 이관 받으며 성장했다. 알리바바 그룹은 제약 및 FSMPs(특수 목적을 위한 식품) 관련 서비스를 제공하는 자회사 Ali JK ZNS Limited 지분 100%를 알리건강에 양도하여 그룹 내 헬스케어 구심점 역할 강화했다.

③ 인터넷 헬스케어

현재 알리건강에 등록한 의사, 약사, 영양사는 42,000명을 상회하고 있다. 최근 알리건강은 알리건강 App 명칭을 온라인 진단 중심의 YILU(医鹿)로 업그레이드했다.

④ 소비자 헬스케어

소비자 헬스케어 사업부는 뷰티 및 건강관리 수요 증가로 매출이 증가하고 있다. 현재는 성형외과, 건강검진, 백신 접종, 치과 등의 교육/상담/예약 및 기타 서비스를 제공하고 있다.

48) 디지털 헬스케어의 개화 원격의료의 현주소, PwC Korea, 2022.07

⑤ 의약품 트레킹 서비스

알리건강이 인수한 증신21세기는 국가식약품 관리국과 2005년부터 구축한 전자 감독 플랫폼으로, 알리건강은 2016년에 제 3자 의약품 트레킹 서비스 'MaShang FangXin'를 출시해 정부 관리감독 당국에 서비스 제공이 가능해졌다. 현재는 국내 의약품 90%, 백신 기업 100%와 서비스 제휴를 맺었다.[49]

---

49) 알리건강, 삼성증권, 2020.10.27

6) 오라클

[그림 48] 오라클

오라클은 280억달러 규모에 전자 의료 기록(electronic-medical-records: EMR) 업체 서너를 인수했다. 오라클은 서너를 인수하면서 미국 헬스케어 분야에서 기술적으로 가장 큰 문제 중 하나 꼽히는 환자 헬스케어 기록을 통합하는 국가 베이터베이스를 구축하겠다고 나섰다.[50]

서너는 의료 전문가들이 의료기록을 저장하기 위한 디지털 정보 시스템과 소프트웨어(SW)를 판매하는 기업으로, 서너의 핵심인 임상 시스템은 이미 오라클 데이터베이스에서 실행되고 있다. 향후 오라클은 음성기반 사용자 인터페이스를 활용해 서너의 전자의료기록관리 시스템 기술을 더욱 현대화할 계획이다.[51]

오라클은 세네갈 보건부, 영국 국민의료보험, Humana, Kaiser Permanente등의 보건 의료 기관과 협력하기도 했다. 세네갈 보건부는 Oracle Health Management System을 활용하여 아프리카 국가 중 처음으로 코로나19 QR 출입 명부를 도입했으며, 영국 국민의료보험은 Oracle Machine Learning 솔루션을 활용해 치료 비용을 줄여 연간 10억 파운드를 절약하기도 했다. Humana는 Oracle의 실시간 의료보험 솔루션으로 업그레이드하고 수백만 고객들을 대상으로 한 청구 프로세스를 개선했다.

현재 오라클이 제공하고 있는 헬스케어 솔루션은 의료보험, 의료기관, 공중보건 시스템이 있다. 오라클은 이러한 솔루션을 통해 의료보험 간소화, 환자 중심의 의료 경험 제공, 지역 공동체 건강 증진 및 질병 예방 등을 달성하고자 한다. [52]

---

50) 서너 인수한 오라클의 빅픽처..."미국인 대상 국가 헬스케어 DB 구축", 디지털투데이, 2022.06.12
51) 오라클 '서너' 인수 완료, 헬스케어 강화…글로벌 클라우드도 가세, 아이뉴스24, 2022.06.05
52) 오라클 홈페이지

나. 국내 기업

1) 셀바스에이아이

[그림 49] 셀바스에이아이

셀바스에이아이는 음성인식·빅데이터 분석 기술기업으로 딥러닝 알고리즘 기술을 활용해 음성 의료 정보를 분석한다. 의료 녹취 솔루션 개발을 위해 세브란스 병원과 협력하고 있는데, 의무기록 시간을 줄여 의사와 환자의 대면 시간을 늘려 환자의 만족도가 증대되었다.

셀바스에이아이의 인공지능 헬스케어 솔루션인 '셀비 체크업(Selvy Checkup)'은 사용자의 건강검진 정보를 기반으로 앞으로 4년 내 주요 질환에 대한 발병 위험도를 예측해주는 솔루션이다. 셀바스 에이아이는 엔진 성능 고도화를 통해 셀비 체크업의 질환 발병 위험도 예측범위를 기존 3개에서 10개로 확대해 당뇨, 심장질환, 뇌졸중, 치매, 간암, 위암, 대장암, 유방암, 전립선암, 폐암 등 각종 질환의 발병 확률과 발병 위험도를 예측한다.

현재 셀바스 에이아이는 일본, 중국 등 해외시장 진입을 통한 서비스 지역 및 고객 확대에 주력하고 있으며, 일본 최대 통신사업자 KDDI의 클라우드 API 마켓에 셀비 체크업을 등록했다.[53)]

최근 셀바스에이아이는 위지윅스튜디오와 사업 시너지 창출을 위한 업무협약(MOU)을 체결했다. 양사는 업무협약을 시작으로 메타버스 관련 시장에서 신규 사업 모델을 적극 발굴해 나간다는 방침이다. △인공지능 기반 딥러닝 기술 △음성인식(TTS) 기술 △음성합성(STT) 기술 △리얼타임 인터랙션 '디지털 휴먼' 기술 등 셀바스AI의 다양한 AI 기반 첨단 응용 기술을 위지윅의 메타버스 콘텐츠와 미디어 콘텐츠에 적용할 예정이다.[54)]

최근 셀바스에이아이는 맞춤형 AI 음성기록 제품을 선보였다. 셀바스에이아이의 AI 음성기록 '셀비노트(Selvy Note)'는 다자 간 대화를 실시간으로 기록할 수 있는 AI 음성인식 솔루션으로, 국내 최고 음성 인식률을 기반으로 사용자가 말하는 대화 내용을 정확하게 문서화할 수 있다.[55)]

---

53) 셀바스 AI, CES 2019서 '셀비 체크업' 최신 버전 공개, 김근희, 뉴스핌, 2019.01.09
54) 지윅스튜디오, 셀바스AI 맞손 "메타버스 시장 선점", 더벨, 2021.12.10
55) 셀바스 AI, 음성기록 솔루션 '셀비노트'로 공공시장 공략, 벤처스퀘어, 2022.02.24

2) 뷰노

VUNO

[그림 50] 뷰노

뷰노는 딥러닝 기술을 이용하여 폐암을 진단하는 소프트웨어인 뷰노 메드 (VUNO-Med)를 개발하였으며, 의료영상 인식 및 딥러닝 개발 알고리즘을 통해 환자들의 CT 사진과 진단 데이터를 모아 스스로 폐암 진단을 학습하는 기술을 개발했다.

또한 뷰노의 뷰노메드 본에이지는 국내 첫 인공지능 의료기기로, 성조숙증과 저신장 등 검사를 위해 촬영된 수골(손뼈) 엑스레이 영상을 AI가 자동으로 분석, 의사 판독 업무를 보조해주는 소프트웨어다. 이는 뼈 나이 측정 방법을 AI에게 학습을 시켜, 의사가 정확하고 빠르게 판단할 수 있도록 돕는다. 최근 뷰노메드 본에이지는 유럽 CE 인증을 받으면서 글로벌 시장 진출 교두보를 확보했다.

또한, 딥러닝 기반 분석 및 진단시스템 개발을 위해 서울아산병원과 제휴했으며, 2016년 9월 22일 SBI 인베스트먼트, 스마일게이트인베스트먼트, HB인베스 트먼트 등으로부터 총 30억원 투자금을 유치했다.

최근 뷰노의 제품이 사상 첫 선진입 의료기술로 확정되며 비급여 청구가 가능해졌다. 뷰노는 인공지능(AI) 기반 심정지 예측 의료기기인 뷰노메드 딥카스™(VUNO Med®-DeepCARS™)가 국내 의료 AI 업계 최초로 한국보건의료연구원(NECA)로부터 선진입 의료기술로 확정됐다고 발표했다. 이번 결정으로 뷰노메드 딥카스™는 비급여 사용이 가능해져 의료현장에 빠르게 확산될 수 있는 기반을 마련함과 동시에 향후 건강보험 수가 진입에 대한 기대를 높이게 됐다.

뷰노메드 딥카스™는 환자의 심정지 발생 위험을 사전에 알려 의료진의 선제적 대응을 가능하게 하는 의료기기로 일반 병동에서 필수적으로 측정하고 EMR(전자의무기록)에 입력하는 혈압, 맥박, 호흡, 체온의 4가지 기본 활력징후(vital sign)를 분석한다. 임상시험 분석 결과에 따르면 뷰노메드 딥카스™는 환자의 연령, 성별, 진료과 등 별다른 제한없이 유효성을 보이는 것으로 나타났다.[56]

56) 급여권 들어선 의료 AI…뷰노, 국내 첫 비급여 시장 진입, 메디컬타임즈, 2022.05.18

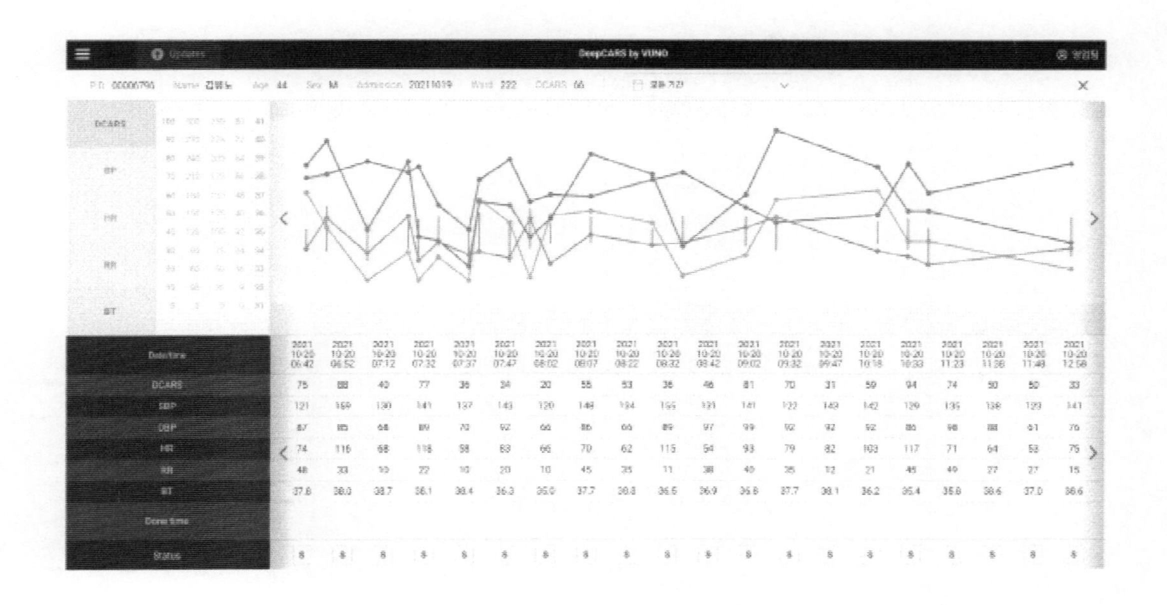

[그림 51] 뷰노메드 딥카스

3) 루닛

Lunit

[그림 52] 루닛

루닛은 딥러닝 기술을 기반으로한 의료 영상 진단 서비스 기업으로 딥러닝 모델을 대량의 의료데이터로 학습시켜, 사람의 시각만으로는 한계가 있었던 기존 의료 영상 판독의 정확성과 객관성을 높일 수 있는 핵심 기술을 개발했다. 루닛은 이를 통해 의사의 진료 지원 및 진료의 정확성 향상에 기여했다.

루닛은 2018년 식품의약품안전처로부터 의료기기 허가를 받았다. 루닛 인사이트(Lunit INSIGHT for Chest Radiography Nodule Detection)는 흉부 엑스선 영상에서 폐암 결절로 의심되는 이상 부위를 검출해 의사 판독을 보조하는 의료영상 검출 소프트웨어로서 2등급 의료기기에 속한다.

루닛은 독자적인 딥러닝 기술로 최대 97% 정확도를 달성했으며 갈비뼈나 심장 등 다른 장기에 가려 놓치기 쉬운 결절도 정확히 찾아낼 수 있도록 개발했다. 서울대학교병원에서 실시한 연구에 따르면 루닛 인사이트를 통해 폐 결절 진단 시 흉부 영상의학과 전문의를 포함한 18명 의사 판독정확도가 모두 향상됐다. 특히 일반 내과의의 판독 정확도는 최대 20% 향상됐다.[57)]

최근 루닛은 일본 의료영상저장전송시스템(PACS) 및 의료용 엑스레이 의료기기 시장 점유율 1위 기업인 후지필름과 파트너십을 맺고 일본시장에 진출했다. 이후 루닛은 일본 의약품의료기기종합기구(PDMA)로부터 AI 기반 흉부 엑스레이 영상분석 솔루션 'CXR-AID'를 정식으로 승인받았으며, 이를 일본시장에 출시했다. 이후 루닛이 일본에서 AI 영상진단 솔루션을 출시한지 6개월 만에 도입 병원이 137개를 넘어섰다. 현재 도쿄의 대규모 스크리닝 센터, 오사카 내 국립병원 등 여러 지역에 걸쳐 상급 종합병원과 중소형 의료기관이 루닛 제품을 도입했다.[58)]

57) 의료AI 기업 '루닛' 300억 원 시리즈C 투자 유치, 동아사이언스, 2020.01.06
58) 루닛, 日시장 판매 확대 "6개월만, 100곳 돌파", 바이오스팩테이터, 2022.07.08

4) 스탠다임

Standigm®

[그림 53] 스탠다임

스탠다임은 국내 AI신약 개발기업으로 컴퓨터로 사람의 언어를 분석하고 처리하는 자연어처리(NLP) 기술을 활용해 더욱 넓은 범위의 논문을 빠르게 커버할 수 있도록 하는데 착안했다. 이렇게 축적된 데이터에 스탠다임은 가설탐색과 결과예측에 특화된 인공지능을 적용해 새로운 타깃을 제안하는 타깃발굴 플랫폼과 타깃에 대한 최적 디자인을 가지는 화합물발굴 플랫폼을 개발했다. 평균 4~5년이 소요되는 타깃발굴부터 후보물질 확보까지의 기간이 스탠다임의 플랫폼을 활용하면 7개월만에 가능하다.

스탠다임은 신규 타깃을 발굴하는 '스탠다임 애스크', 신규 화합물 디자인을 돕는 '스탠다임 베스트', 약물재창출을 위한 '스탠다임 인사이트' 등 3개 플랫폼을 바탕으로 타깃 발굴부터 유효물질 탐색, 물질 최적화, 전임상 후보물질 확보까지 신약 개발을 지원한다.

스탠다임은 이런 기술을 바탕으로 국내외 제약회사와 파트너십을 빠르게 확대하고 있다. 스탠다임은 미국과 유럽 빅파마를 비롯해 SK케미칼, 한미약품, HK이노엔, 삼진제약, 캠브리지대 밀터연구소 등과 신약후보물질 발굴 공동연구를 진행하고 있으며 누적 프로젝트 수는 2018년 1종류 적응증 대상 3개의 후보물질에서 시작해 2019년 12개, 2020년 22개, 2021년 42개, 2022년 52개로 늘어났다. 현재 진행 중인 과제는 30여개다.[59]

특히 스탠다임의 타깃발굴 플랫폼은 질병에 대한 타깃을 보여주는 것에서 끝나지 않고 타깃이 도출된 근거까지 제공해준다. 스탠다임은 2021년 테마섹(Temasek)의 자회사인 파빌리온 캐피탈로부터 1,000만 달러의 투자를 받기도했다.[60]

59) 스탠다임 "AI로 신약 후보 발굴 중…글로벌 '빅딜' 도전", 전자신문, 2022.05.30
60) 스탠다임, '해석가능'타깃발굴 AI "글로벌 경쟁력", 바이오스팩테이터, 2022.03.03

5) 브레싱스[61]

[그림 54] 브레싱스

코로나 19로 인하여 스마트 헬스케어 시장은 2020년 하반기부터 비대면 의료 서비스에 집중하기 시작했다. 이에 따라 많은 스마트 헬스케어 스타트업들이 신생하기 시작했다. '브레싱스'는 삼성전자 사내벤처 프로그램을 통해 분사한 스마트 헬스케어 스타트업이다.

[그림 55] 브레싱스 불로

브레싱스는 최근 AI와 IoT 기반의 폐 건강 관리 제품인 '불로(BULO)'를 개발했다. 불로는 폐활량, 폐 근력, 폐 지구력, 폐의 나이 총 4가지를 측정할 수 있고, 기기를 전용 앱에 연동하면 측정 결과에 따른 호흡 운동을 추천받을 수 있다. 이러한 기능 덕분에 호흡 장애와 만성폐쇄성폐질환(COPD), 천식, 폐기종, 폐섬유증 등 폐 질환을 앓고 계신 환자 분들이 호흡 재활을 위해 사용하고 있다.[62]

2021년 브레싱스는 스마트 복약관리 앱 '파프리카케어'를 운영하는 어니언스와 업무협약을 체결했다. 이번 협약을 통해 어니언스는 브레싱스의 IoT기반 호흡 검사 및 운동 기기 불로를 파프리카케어 앱과 연동해 만성폐쇄성폐질환 및 천식과 같은 호흡기 계통 환자들이 스스로 호흡기능 검사와 더불어 호흡 재활 운동을 할 수 있도록 도울 예정이다.[63]

---

61) https://www.breathings.co.kr/ 브레싱스 공식 홈페이지
62) 코로나로 고생한 폐의 건강 상태를 바로 확인하는 방법, 조선일보, 2022.04.20
63) 폐 건강관리 '불로'운영 브레싱스, 파프리카케어와 업무협약 체결, 벤처스퀘어, 2021.11.25

6) 룩시드랩스[64]

LOOXID LABS

[그림 56] 룩시드랩스

'룩시드랩스'는 AI기반 생체신호 분석 VR 헬스 케어 데이터 플랫폼 기업으로 시선, 뇌파를 활용해 경도인지장애의 위험에 노출되어 있는 노인 분들을 조기 발견하고 인지 건강 관리에 도움을 줄 수 있는 VR 인지 기능 평가 및 훈련 시스템 '루시(Lucy)'를 개발했다.

'루시'는 사용자가 몰입감 높은 VR 게임을 즐기는 동안 사용자의 행동 및 뇌파와 안구운동 같은 신경생리학적 반응을 포착하고 분석해 기억력, 주의력, 공간 지남력과 같은 다양한 지적 영역에서의 인지 역량을 평가하도록 설계되어 있다.

사용자가 VR 게임을 수행하는 동안 수집된 시선 및 뇌파 데이터는 안전한 클라우드로 전송되고 실시간으로 분석되어, 정량적이고 과학적인 분석을 담은 인지 기능 분석 레포트 형태로 제공된다. 또한 루시는 사용하기 쉽고 관리가 간편한 평가 및 훈련도구로 노인들이 인지 기능을 측정해 셀프 트래킹 및 훈련하는데 도움을 주기 위해 만들어졌다.[65]

최근 CES2022에서 룩시드랩스가 인지 건강관리 솔루션 '루시(LUCY)'로 CES 2022 혁신상을 받았다. CES 혁신상은 미국소비자기술협회(CTA)가 매년 1월 초 미국 라스베이거스에서 열리는 세계 기술 전시회 CES를 앞두고 27개 부문에서 디자인, 기술, 소비자 가치 등을 종합적으로 평가해 수여하는 상이다.[66]

[그림 57] 룩시드랩스 루시

64) https://looxidlabs.com/ 룩시드랩스 공식 홈페이지
65) 비대면으로 더 똑똑해진 의료…국내 스마트 헬스케어 시장 활기, 2021.4.8. 이데일리
66) [CES 2022] 메타버스로 치매 예방, 룩시드랩스 CES 혁신상 수상, 아주경제, 2021.12.30

7) 누가의료기

[그림 58] 누가의료기

2002년 개인용 의료기기 대중화를 목표로 설립된 누가의료기는 개인용 의료기 업체의 선두주자로 전국에 180여개의 대리점을 보유하고 있다. 누가의료기의 대표 제품은 척추 근육통 완화 의료기기 'N5'다. 하나의 발열도자로 척추 전체를 관리하는 일반 척추 관리 의료기와 달리 N5는 경추, 흉추, 요추로 이어지는 3개의 발열도자가 척추 전반을 동시에 자극한다. 67)

[그림 59] 누가의료기 N5

의료기기 강소기업 (주)누가의료기는 시간과 장소의 제약 없이 사용 가능한 폐 기능 진단 기기인 '누가윈드(NUGAWIND)'를 개발하고 지난해 식약처로부터 신제품 진단폐활량계로 허가를 받아 관련 마케팅 활동을 본격적으로 확대하고 있다.

이 디바이스는 스마트폰과 연동되어 비대면으로 폐 기능을 진단하게 해준다. 디바이스를 통해 측정된 데이터는 스마트폰 앱을 통해 모아진 후 병원 시스템에 전송되어 진단 목적으로 활용될 수 있어 향후 확대될 원격 의료 서비스 시장에서 가치가 높다는 것이 업체 설명이다.68)

67) 누가의료기, 개인용 의료기 선두주자…글로벌 판매망 3500개, 한국경제, 2021.08.29
68) 비대면으로 더 똑똑해진 의료…국내 스마트 헬스케어 시장 활기, 2021.4.8. 이데일리

8) 바쉔메디케이션

BASWEN

[그림 60] 바쉔메디케이션

복약관리 솔루션 기업인 (주)바쉔메디케이션은 환자의 실시간 복약 관리를 돕는 IoT 기반 복약 모니터링 솔루션을 개발했다. 이 제품은 자동으로 정량의 약을 내어주는 디스펜서에 분석 센서를 결합, 환자가 약을 과다 복용하지 않도록 도와주며 복약 데이터를 수집해 병원이나 보험사 등에도 보내준다. 또한 알림기능을 통해 환자가 복약시기를 놓치지 않도록 환기시키고 복약관리 서비스 플랫폼 연동을 통해 건강 관리도 가능하게 해주는 기능을 가졌다.

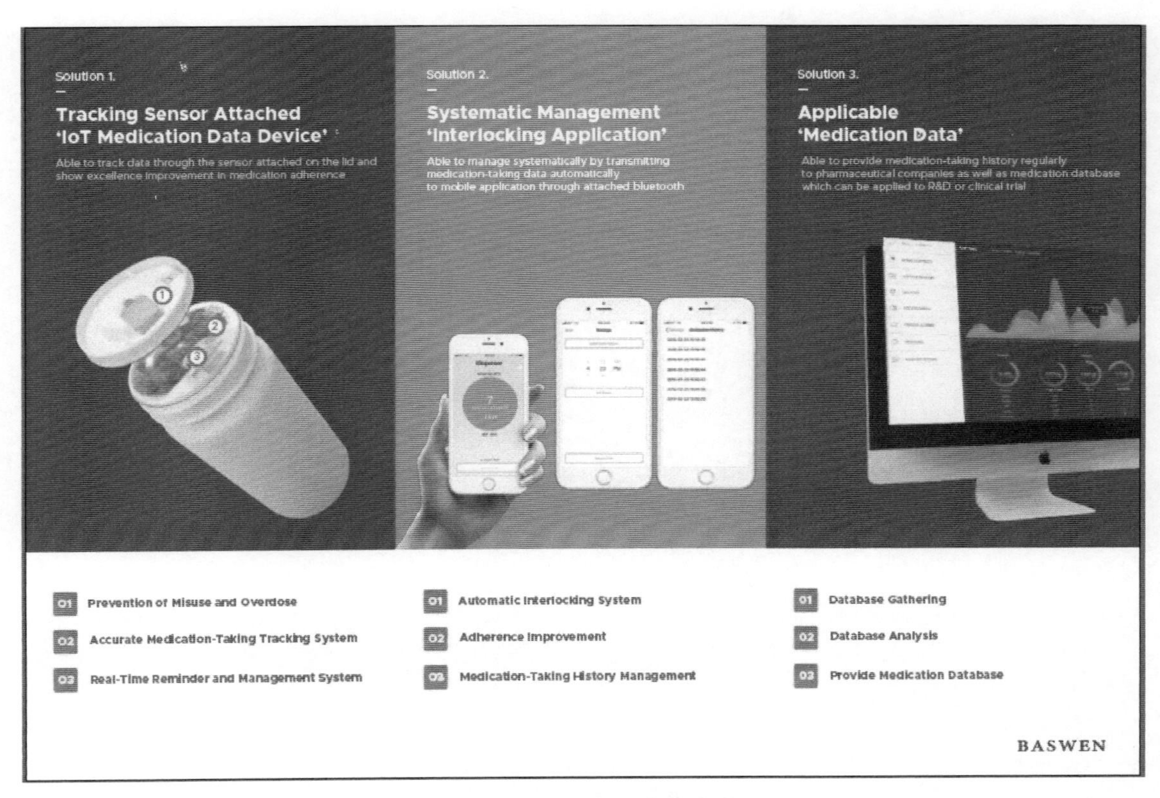

[그림 61] 바쉔메디케이션

이러한 시스템은 IoT기반 복약 데이터 수집이 가능한 스마트 디바이스와 자체 개발한 정량 토출 밸브에 약제 토출 체크 센서를 부착하여 환자 복약 시 실시간으로 복약 데이터를 무선통신을 통해 스마트 폰 앱과 연계한 것이다.[69]

69) [Link up - BIO #9] 바쉔메디케이션, "복약 순응도 개선을 위한 모니터링 시스템", 2020.01.21. 와우테일

9) 웨스트문

[그림 62] 웨스트문

한국전파진흥협회의 육성 기업인 웨스트문은 증강현실(AR) 기술을 적용한 스마트 미러 기반 피트니스 서비스인 MiT 프로그램을 개발하여 운동 전문가의 지식을 인공지능(AI) 기술에 접목했다. 증강현실(AR) 기술을 적용한 스마트 미러 기반 피트니스 서비스인 MiT 프로그램은 트레이너와 거울 속에 비친 자신이 함께 운동하는 듯한 시각효과를 통해 홈 트레이닝의 효과를 높일 수 있다. 코로나19 사태로 제한된 장소에서만 운동이 가능한 상황에서 스마트 미러 프로그램을 통해 전문가 지식에 기반을 둔 AI 운동기능 검사 콘텐츠로 체계적 트레이닝이 가능하다.

웨스트문에 따르면 AI 운동기능 검사 콘텐츠는 다양한 체육학 연구에 활용 돼 신뢰도가 높은 움직임 검사 방법으로 사용자가 본격적인 운동을 진행하기 전에 자신의 신체 상태를 파악할 수 있어 부상 예방에 도움을 준다. 또한 AI 운동기능 검사 결과를 기반으로 평가 알고리즘 개발 및 각 패턴 별 결과를 제공한다.[70)]

[그림 63] 웨스트문 MiT

70) ㈜웨스트문, 스마트 헬스케어 프로그램 MiT(Mirror Training) 개발. 2021.04.12. dongA.com

10) 바이칼에이아이

[그림 64] 바이칼에이아이

주식회사 바이칼에이아이(Baikal AI Inc.)는 2019년 6월 11일 창업한 소프트웨어 기술 중심의 스타트업으로, 한국어에 대한 자연어처리(Natural Language Processing; NLP) 원천 기술을 기반으로 한 언어처리 전문 인공지능 기술을 토대로 소프트웨어를 개발 중이다.

바이칼에이아이의 핵심기술 및 솔루션 중 첫 번째는 인공지능 딥러닝 기술인 'deeq BRAIN(디큐브레인)'이다. 이는 퇴행성 신경계 질환인 알츠하이머병, 파킨슨병, 혈관성 치매, 전두측두엽 장애 등에 이르기 전에 나타나는 인지장애 위험도를 조기에 예측할 수 있는 기술이다.

한편, 바이칼에이아이는 자체 개발한 한국어 자연어처리 형태소분석 엔진 기술 'deeq NLP'도 보유 중이다. 인터넷에서 현존하는 가장 많은 데이터인 '문자' 중 한국어로 작성된 문자 데이터를 처리하기 위한 핵심기술이기도 하다. 현재 v.1.4.2를 회사 홈페이지를 통해 다운로드 받을 수 있다.

세 번째 제품은 'deeq WB(workbench, 디큐 워크벤치)'로 데이터의 생성, 검수, 관리, 배포 등을 할 수 있는 서비스 플랫폼으로 특히 음성 및 자연어 데이터에 강점을 갖고 있다.

이 가운데 인공지능 기술을 이용한 헬스케어 서비스 '디큐브레인'은 회사 측의 주력 플랫폼으로 정신건강, 인지기능의 위험도를 예측·예방하는 것을 목표로 하고 있다. 이 서비스는 2021년도 3분기에 시범서비스를 오픈할 예정이며, AI스피커를 보급하고 있는 통신사 및 포털 업체들과 제휴를 강화할 예정이다.

바이칼에이아이는 현재 국내에 누적 약 900만대의 AI스피커가 보급돼있으며, 노년층의 사용률이 높다며, '디큐브레인'은 AI스피커와 연동돼 일상에서도 인지장애의 변화를 감지, 이상이 발견될 시 전문의의 진단을 받도록 유도할 수 있다고 전했다. 또한 이를 위해 전문의료기관과의 제휴 사업도 추진할 예정이라고 덧붙였다.[71]

71) 바이칼, 언어처리 AI로 헬스케어 플랫폼 구축. 2021.04.12. 의학신문

11) 네이버[72]

NAVER

[그림 65] 네이버

네이버는 고도화된 '인공지능(AI)' 기술을 통한 의료솔루션 제공을 강조하고 있다. 네이버는 2021년 로봇수술 전문가인 나군호 연대 세브란스 교수를 헬스케어 소장으로 영입하여 전문인력을 셋팅하는 등, 현재는 데이터 활용보다 의료솔루션 구축에 심혈을 기울이고 있는 것으로 보인다. 이를 위해 스마트 문진 및 의료기록 간편화 시스템을 구축하고, 환자-의료진 연결 및 의료진 업무 효율성 증대에 초점을 맞추는 작업을 진행하고 있는 것으로 알려져 있다.

시기	업체	내용
2018	아모랩	수면 개선 디바이스
	두잉랩	AI 영양 관리 서비스
	모니터코퍼레이션	AI 의료 영상 솔루션
	다나아데이터	의료정보 빅데이터 (대웅제약, 분당서울대방원과 합작법인 설립)
2019	휴레이포지티브	당뇨 관리 서비스
	라인헬스케어	자회사 '라인'과 일본 'M3' 합작법인 설립
	아이크로진	유전자 정보 분석
2020	엔서, 세븐포인트원	치매 진단 솔루션, 시니어 헬스케어
	큐에스택, 에이치디정션	헬스케어 의료기기, ICT
	와이닷츠	치매 예방 로봇
	메디블록	블록체인 의료 플랫폼
2021	이모코그	AI 시니어 헬스케어
	피트	운동 처방 솔루션
	루닛	AI 암 진단 치료
	이지케어택	전자의무기록(EMR) 투자 논의 중

[표 32] 카카오 디지털 헬스케어 투자 현황

72) 디지털 헬스케어의 개화 원격의료의 현주소, PwC Korea, 2022.07

또한 네이버의 관계사 라인도 2019년 1월 소니 계열의 의료전문 플랫폼업체 'M3'와 합작법인 '라인 헬스케어'를 일본에 설립 후, 모바일 메신저 라인을 통해 비대면으로 의사와 상담할 수 있는 서비스를 제공하고 있다.

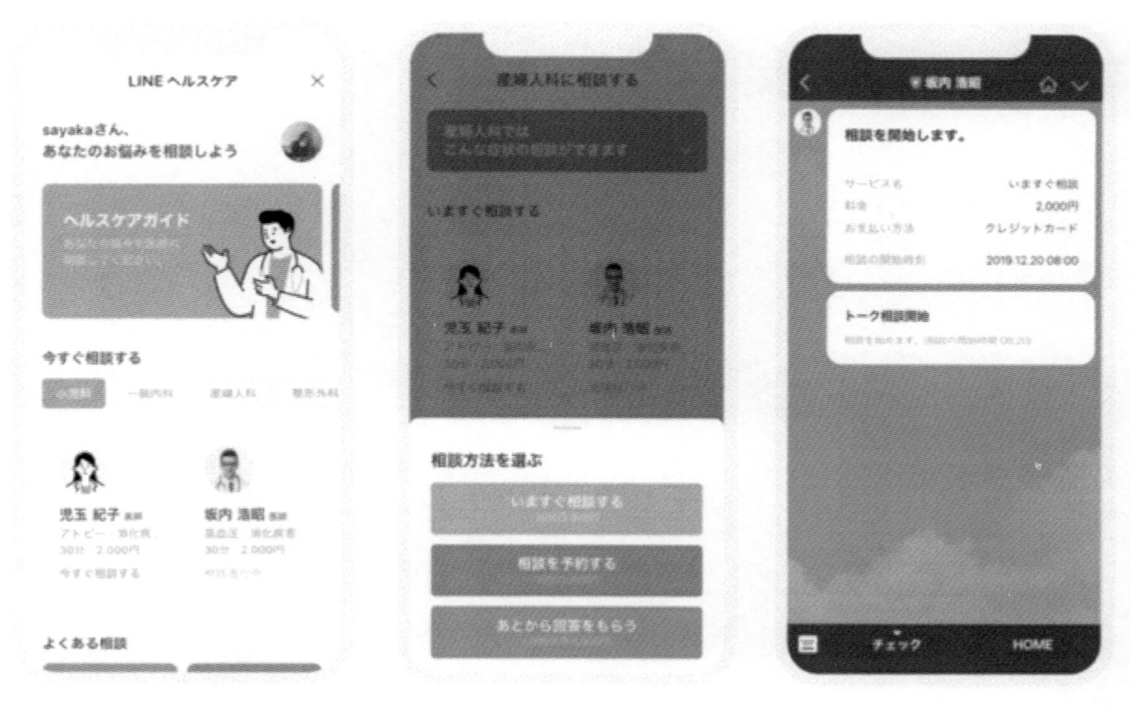

[그림 66] 라인헬스케어

12) 카카오[73]

kakao

[그림 67] 카카오

카카오는 플랫폼의 높은 접근성을 바탕으로 의료 서비스 생태계를 구현하고 있다. 카카오는 2019년 12월 연세의료원과 공동으로 '파이디지털헬스케어'를 세우고, 연세의료원은 650만 환자의 의료 데이터 사용권과 의료정보시스템 관리 노하우를 제공, 카카오는 의료 빅데이터 분석, 플랫폼 제작 등 기술지원에 나서기로 했다.

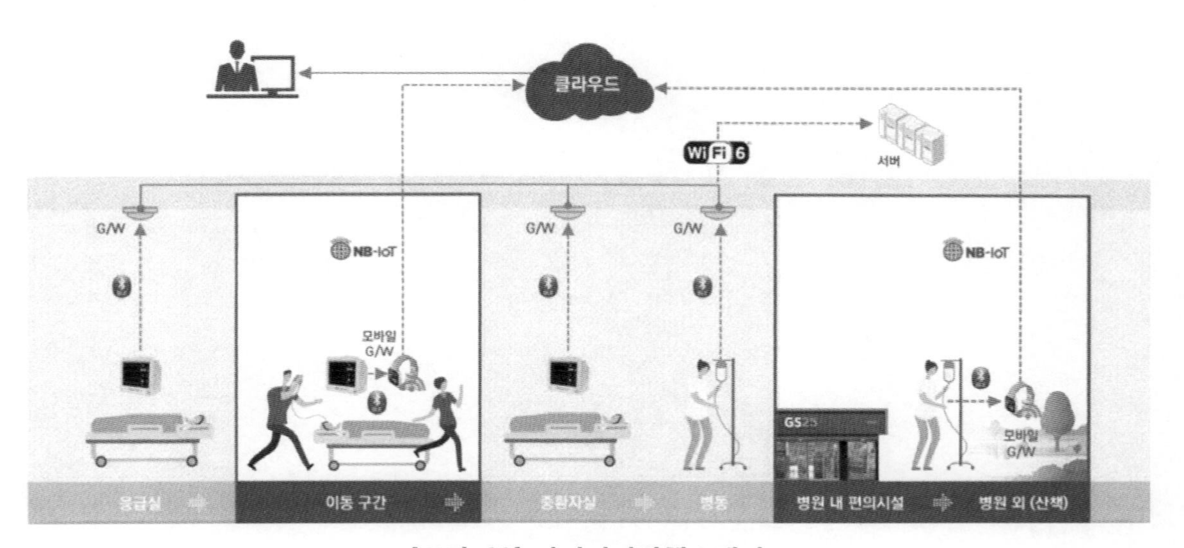

[그림 68] 파이디지털헬스케어

또한 카카오는 4,500만 사용자를 기반으로, 헬스케어 데이터를 이용하거나 이용해야 하는 '모든 이를 위한 기업'이 되겠다는 포부를 밝히며, 모바일 기반 '버추얼 케어(Virtual Care)'와 '데이터 이네이블러(Data Enabler)' 플랫폼으로 발돋움한다는 계획이다.

73) 디지털 헬스케어의 개화 원격의료의 현주소, PwC Korea, 2022.07

시기	업체	내용
2016	오비이랩	뇌 기능 측정 서비스 기업 투자
2017	엑소시스템즈	뇌신경계 재활 및 근골격 케어 기업 투자
2018	아산카카오메디컬데이터	서울아산병원, 현대중공업지주와 JV
2019	스탠다임	AI 신약개발 기업 투자
	강북삼성병원	강북삼성병원과 건강검진 챗봇 서비스 출시
	파이디지털헬스케어	연세의료원과 JV 설립
	세나클소프트	클라우드 전자의무기록 서비스
	모노랩스	AI 맞춤형 영양제 플랫폼
2020	에이슬립	AI 수면관리 서비스
2021	이모코그	치매 예방 앱 개발
	루닛	AI 암 진단 치료
	휴먼스케이프	블록체인 의료 빅데이터 플랫폼
	헬스케어 CIC	헬스케어 담당사내독립기업 출범
	제이엔피메디	의료 데이터 플랫폼
	프리베노틱스	의료 AI 소프트웨어
2022	위커버	AI 의료 플랫폼
	메디르	비대면 진료 및 처방약 배달 플랫폼

[표 33] 카카오 디지털 헬스케어 투자 현황

06. 인공지능 헬스케어 정책 동향

6. 인공지능 헬스케어 국내외 정책 동향[74)]

가. 미국

미국은 국토가 넓어 의료사각지대가 많고, 비싼 치료비로 인해 GDP 대비 의료비 비중이 가장 높은 국가이다. 이에 의료비 절감을 위해 디지털 헬스케어를 활용하고자 일찍부터 제도적 환경을 구축해 왔다.

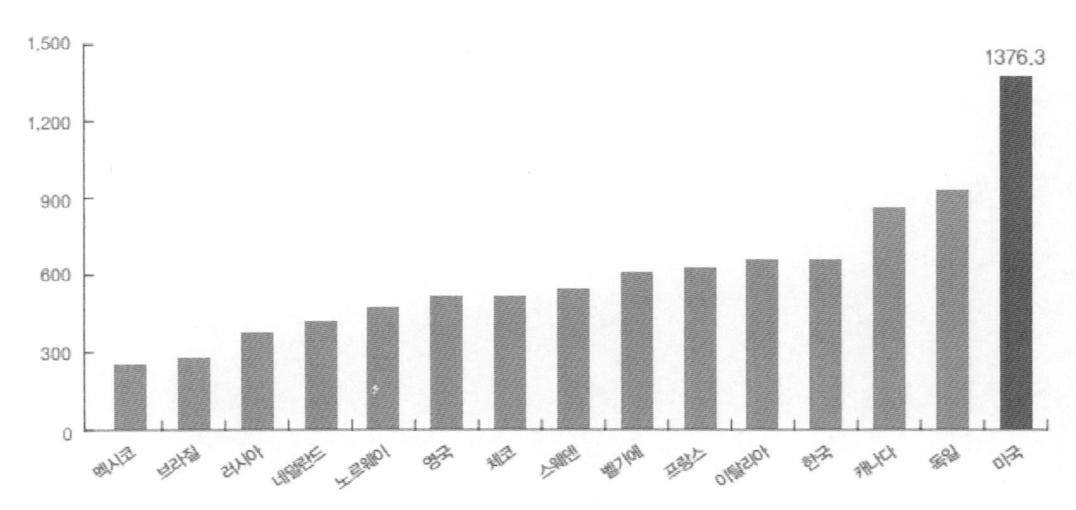

[그림 69] OECD 국가별 1인당 의료비 지출액 (2020년 기준)

미국은 1990년 원격의료를 도입했고, 2010년대에는 원격 의료 허용 질환군을 확대하여 뇌졸증·만성신부전·치매·관절염·암·우울증·당뇨 등 만성질환에 대한 원격의료가 가능해졌다. 2009년부터는 의료 데이터를 표준화하고 전자건강기록(EHR)을 보급하여 병원 진료기록 등을 환자 개인이 열람할 수 있도록 하고 있으며, 비식별화 건강정보는 사전동의 없이 상업적인 이용도 가능하다. 2015년부터는 유전자분석 관련 일부 검사 항목을 허가하고, 2017년에는 비식별 유전자 정보는 연구에 활용될 수 있도록 허용하는 'All of Us 프로젝트'를 진행하여, 2026년까지 100만 명의 유전자·생활습관·진료기록·치료 접근성 등의 데이터를 수집할 예정이다. 또한 2017년 시행된 '디지털 헬스케어 혁신 계획'에 따라 FDA의 'Pre-Cert Pilot Program'에 선정된 기업의 디지털 헬스케어 제품은 인허가 과정이 단축되어, 당시 선정된 애플, 핏빗(Fitbit), 삼성, 존슨앤존슨(J&J), 로슈(Roche), 베릴리(Verily) 등 9개 기업은 디지털 헬스케어 제품의 신속한 출시가 가능해졌다.

최근 미국 정부는 COVID-19를 계기로 원격의료 추진에 속도를 내고 있다. 2020년 3월 「COVID-19 바이러스 대응추경 예산법(Coronavirus Preparedness and Response Supplemental Appropriations Act)」을 발표해, 비상 기간 중 메디케어(Medicare)* 가입자는 지역과 관계없이 원격진료에 대해 의료보험 혜택을 부여하였다. 지금까지 미국은 주(州)마다 다른 규정으로 원격의료 전면 도입이 어려웠지만, COVID-19의 대응 차원에서 관련 제도가 완화되면서 원격의료 활성화에 대한 기대감이 높아지고 있다

74) 디지털 헬스케어의 개화 원격의료의 현주소, PwC Korea, 2022.07

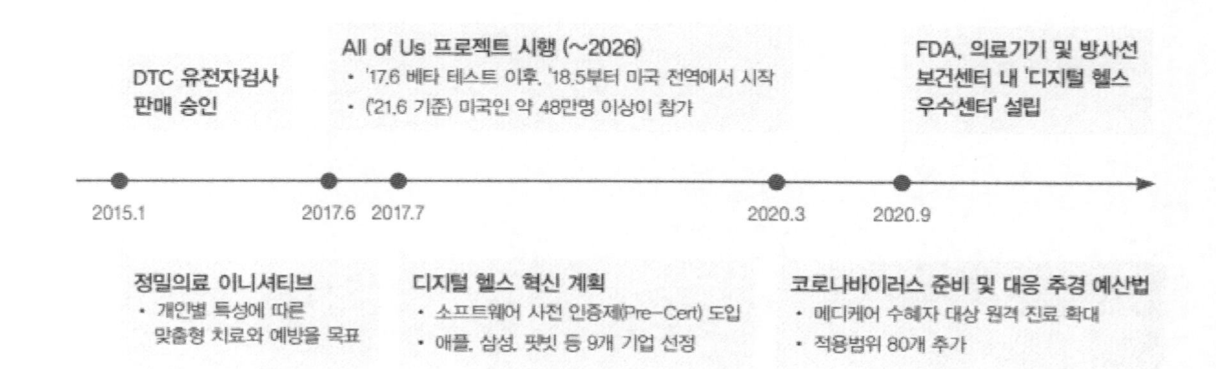

[그림 70] 미국 디지털 헬스케어 정책 동향

1) 원격의료 규제

미국은 넓은 국토 면적에 따른 의료 접근성 문제를 해결하고자, 1990년부터 원격의료에 대한 제도를 마련하기 시작하였다. 1990년 원격진료가 합법화되었으며, 1993년 미국원격의료협회(American Telemedicine Association)가 설립되면서 원격의료가 시행되었고, 1997년 이후 원격의료에 보험급여를 제공하고 있다.

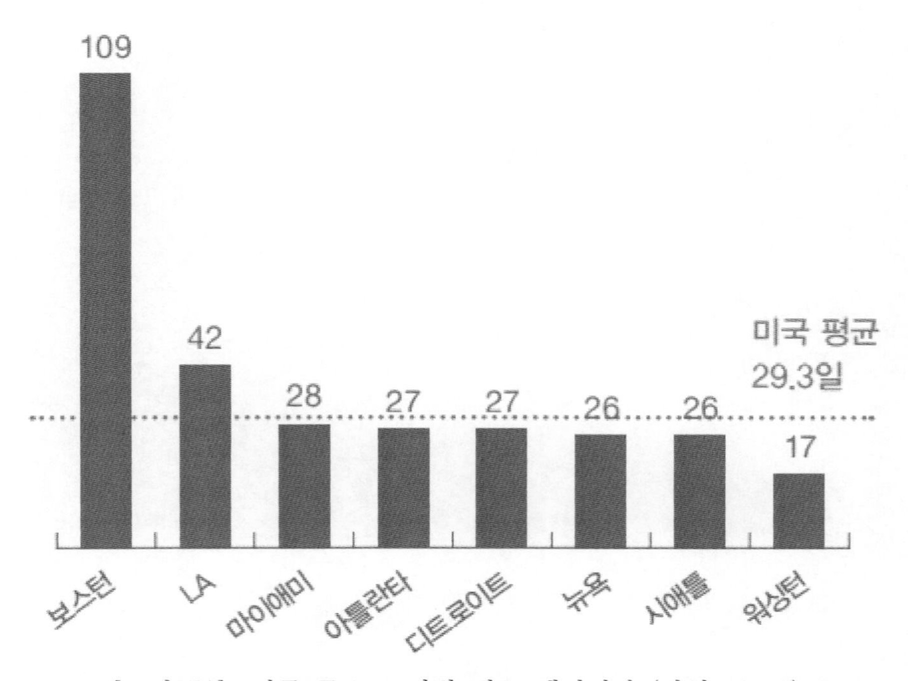

[그림 71] 미국 주요 도시별 진료 대기시간 (단위: days)

미정부는 메디케어(Medicare, 65세 이상의 고령자와 장애인을 대상으로 하는 공공보험으로 미국 인구의 약 14% 가입) 대상으로 보험을 적용해 원격의료를 허용하고 있었으나, 각 주별로 원격의료 가능범위, 의사의 자격조건, 보험적용 등이 상이하여 전국적으로 확산되지는 못하고 있었다.

그러나 금번 COVID-19로 정부는 일시적으로 지역에 상관없이 모든 의사가 모든 환자들에 대해 원격의료를 가능하도록 했으며, Medicare의 보험적용 범위도 모든 지역으로 확대하였다. 맥킨지 조사에 따르면, 이러한 정책에 따라 미국의 원격의료 활용이 COVID-19 이전보다 38배 증가한 것으로 나타났다.

미국은 의료비가 전 세계에서 가장 높은 국가인데, 향후 의료비 절감을 위한 수단으로서도 원격의료가 더욱 각광받을 수 있는 환경이 조성되고 있다. 바이든 대통령의 핵심공약 중의 하나는 메디케어와 같이 연방정부에서 관리하는 새로운 '공공옵션(public option)'인 건강보험프로그램을 제공하는 것이다. 의료비 부담 감소와 의료 혜택 확산이라는 두 마리 토끼를 모두 잡기 위해서 미국의 원격의료 서비스는 더욱 확대될 것으로 전망하며, 이를 위한 연방정부의 정책적 지원이 지속될 것으로 예상된다.

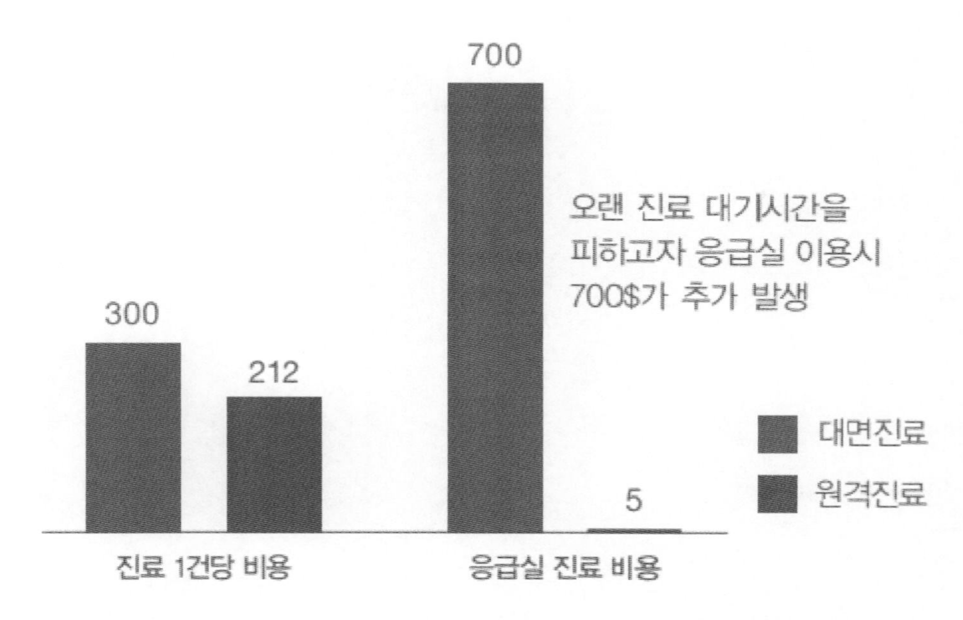

[그림 72] 의료비 비교 - 대면진료 vs 원격진료 (단위: USD)

나. 유럽

유럽은 보건의료와 ICT 기술을 융합한 디지털 헬스케어 활성화 정책을 적극 추진하고 있다. 유럽의 정책은 '데이터'를 의료산업 디지털 전환의 필수 자원으로 강조한 것이 특징인데, 데이터 기반 정밀의료를 주요 과제로 내세운 「호라이즌(Horizon) 2020」과 유럽인 3억 명의 의료 데이터 표준화를 목표하는 「에덴(EHDEN) 프로젝트(2018)」가 대표적이다. 특히 에덴 프로젝트는 각 의료기관에서 보유한 데이터를 표준화하는 작업으로, 현재 유럽 12개 국가가 참여하고 있다. 과거에는 의료기관마다 서로 다른 데이터 구조와 규격으로 인해 질병 연구에 어려움이 있었으나, 금번 프로젝트를 통해 공통 데이터 모델이 구축될 경우, 질병 예방·치료법 개발 등 의료 전반에 큰 진전을 가져올 수 있을 것으로 보인다.

이 외에도 개별 국가 자체적으로 유전체 분석 프로젝트를 수행하여 정밀의료 활성화에 박차를 가하고 있는데, 프랑스는 2025년까지 연간 23.5만 명 데이터를 구축할 계획이며, 핀란드는 2017년부터 7년간 핀란드 국민 10%에 달하는 50만 명의 유전자 정보를 수집할 방침이다. 또한 2012년 전 세계 최초로 유전체 분석 「10만 게놈(100K Genome) 프로젝트」를 시작한 영국은 2018년에 목표한 10만 명 유전체 분석·해독을 달성하였다.

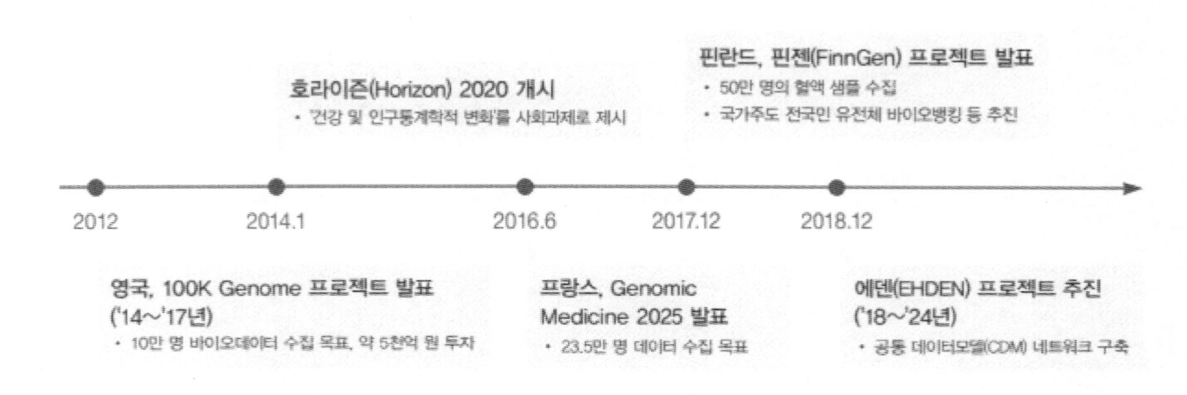

[그림 73] 유럽 디지털 헬스케어 정책 동향

1) 원격의료 규제

영국 정부는 2019년 발표한 'NHS(영국국립보건서비스) 장기 계획(The NHS Long Term Plan)'을 통해 원격의료 확대를 지원하고 있다. 모바일 플랫폼인 NHS App을 통해 2019년 7월부터 영국의 모든 1차병원이 NHS App과 연결되도록 하여, 모든 국민이 이 앱을 통해 진료기록을 열람하고 장기 복용하는 약은 자동으로 처방전을 발급받을 수 있으며, 일부 병원의 경우 NHS App을 통해 원격진료도 할 수 있다. NHS 계획에는, 모든 환자가 2020년 4월까지는 온라인 진료를, 2021년 4월까지는 영상이나 음성을 이용한 실시간 영상진료를 받을 수 있도록 한다는 내용도 포함되어 있는데, 금번 COVID-19로 인해 정부 예상보다 더 빠른 속도로 원격의료가 확산되고 있는 것으로 보인다.

프랑스 역시, 2018년부터 원격의료를 합법화하고 의료보험을 적용하고 있다. 2018년 9월부터 원격진료에 사회보험이 적용됐지만, 1년 이내 진료이력이 있는 의사의 원격의료만 해당되는데다 기술적 문제, 비용 등 의사의 부담도 커서 이용률은 답보 상태였다. 하지만 COVID-19가 확산되자 규제를 완화하고, COVID-19 치료 및 간호 관련 원격진료비에 사회보험 100%를 부담해주고 있는 상황이다.

독일은 세계에서 두 번째로 큰 의료 시장임에도 불구하고 오랫동안 원격의료를 금지하여 디지털화에 뒤처져 있었으나, COVID-19로 인해 병원 디지털화의 시급성을 인지했다. 2020년 10월 '병원미래법(the Hospital Future Act, KHZG)'을 발표하고 원격진료 및 전자 문서 발행, 디지털 약물 관리, IT 보안 강화, 로봇 의료 장비 도입 등을 허용하고 있다.

다. 중국

중국은 지난 2011년 바이오산업을 7대 전략적 신흥산업으로 지정하였고, 이후 12차 5개년 계획(2011~2015), 13차 5개년 계획(2016~2020)에도 바이오산업을 모두 포함하였다. 이러한 정부의 지원 하에 디지털 헬스케어 산업은 빠른 성장을 지속하고 있다. 중국은 넓은 국토를 감안하여 의료 접근성 개선을 위해 원격의료를 지속적으로 확대하는 한편, 미국·유럽과 마찬가지로 정밀의료에 대한 토대를 마련하고 있다. 2014년 의사-환자 간 원격의료를 전면 허용한 것을 시작으로, 최근까지도 온라인 병원 설립, 온라인 처방전 관련 정책들을 이어오고 있으며, 2015년에는 정밀의료에 600억 위안(약 10조 5천억 원)을 투자하여 2030년까지 100만 명의 유전체 분석을 진행하기로 하며, 정밀의료 육성 의지를 드러냈다. 중국 정부가 이처럼 대대적인 정밀의료 육성에 나선 것은 2015년 1월 미국이 정밀의료 이니셔티브를 본격 추진하며 향후 헬스케어 시장에서 경쟁 우위를 선점할 가능성이 있는 만큼, 국가 차원의 막대한 자금 투입으로 향후 시장을 대비하려는 것으로 보인다.

COVID-19 이후 중국의 디지털 헬스케어 육성 움직임은 더욱 빨라지고 있다. 중국 정부는 2020년 2월「정보통신기술 강화를 통한 COVID-19의 감염 예방 및 통제업무에 관한 통지」를 공표해 의료 기관 원격의료 서비스를 본격 확대하고, 일반적인 질병 내지는 일부 만성 질환 대상 온라인 처방과 약물 배송 등을 도입하겠다고 밝혔다. 또한 2020년 말에는 2차 공보험 가이드라인을 발표하여, 원격의료를 통해 제공되는 병원 치료와 약품처방 비용을 공보험으로 지원하기로 하였다. 대면진료와 온라인 진료가 부합되는 방향으로 보험수가가 산정되면, 향후 온라인 병원 서비스가 더욱 확대될 것으로 기대된다.

[그림 74] 중국 디지털 헬스케어 정책 동향

1) 원격의료 규제

중국은 미국에 비해 제도 마련은 늦었지만, 가장 빠르게 원격의료가 확산 중이다. 중국 정부는 의료 인프라 부족, 병원환자 간의 물리적 거리 등으로 인한 사회적 비효율을 해결할 방안이 필요했고, 이에 대한 해결책으로 원격의료를 활용하기 시작했다.

2014년 의사-환자 간 원격의료를 허용하여 원격자문·원격 모니터링·전자처방전 발급 등 원격의료 관련 서비스 제공을 독려하였으며, 2018년도부터는 온라인 진료와 온라인 병원을 허용하여, 최초의 온라인 병원인 '광동성 온라인 병원'이 개설되었다. 2020년 10월 기준 전국에 온라인 병원 900여 개가 운영 중이며, 최초의 온라인 병원인 광동성 온라인 병원의 일평균 진료 환자는 4만 명이 넘는 것으로 알려져 있다.

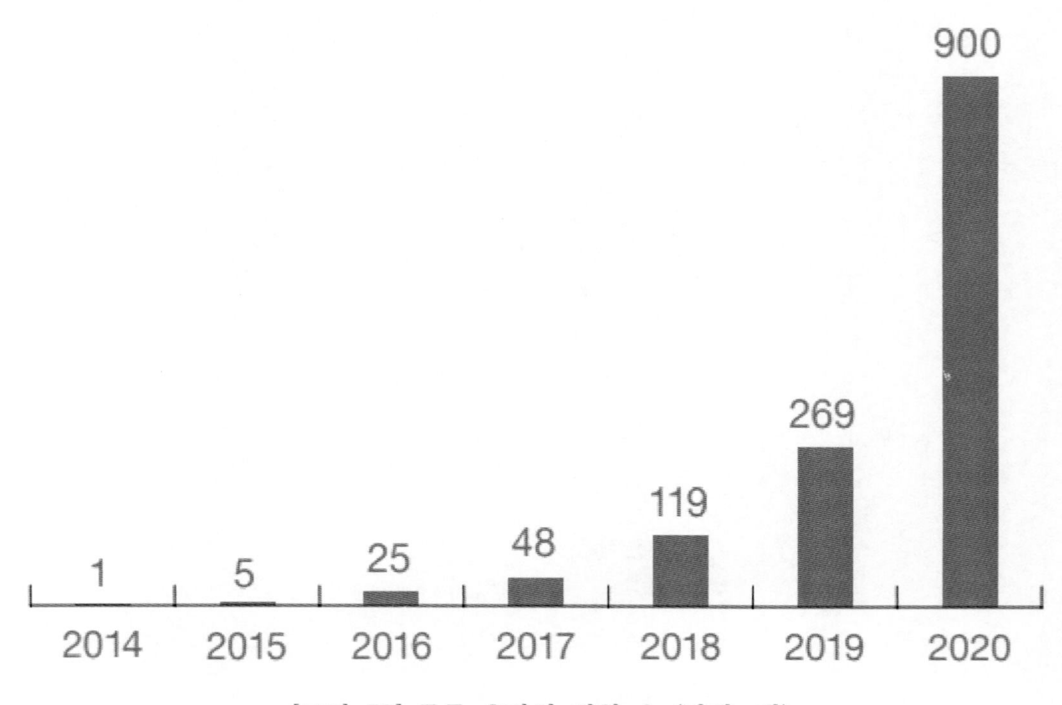

[그림 75] 중국 온라인 병원 수 (단위: 개)

이미 원격의료에 우호적인 중국 정부였지만, 2020년 COVID-19 사태를 겪으며 당국은 방역에 원격의료를 최대한 활용하는 방향으로 정책을 마련하였다. 국가위생건강위원회(NHC)는 지방정부가 개별 온라인 의료 제공자를 감독 및 규제하고 온라인 병원의 시장접근을 가속화하기 위해, 자체 온라인 규제 플랫폼을 구축하도록 장려하고 있다. 또한 「원격의료 네트워크 역량 구축 강화에 관한 통지」를 발표하여, 5G 네트워크의 의료기관 보급을 추진하고, 2022년까지 98% 이상의 의료보건기관이 인터넷에 접속할 수 있는 환경 조성을 목표로 하고 있다. 이러한 사회 제반 시설 확충으로 인해 중국의 원격의료 확산은 더욱 빨라질 것으로 전망된다.

라. 한국

미국과 유럽, 중국은 자국의 디지털 헬스케어 시장을 성장시키기 위해 각종 지원책을 내놓으며 환경조성에 나서고 있다. 우리 정부도 「4차 산업혁명 기반 헬스케어 발전전략(2017.11)」, 「바이오헬스 산업 혁신 전략(2019.5)」, 「한국판 뉴딜 종합계획(2020.7)」 등을 통해 빅데이터 구축, 정밀의료, 스마트 병원 구축 등을 추진해왔다. 또한 올 초에 발표된 「디지털 헬스케어 서비스 산업 육성 전략(2022.2)」에서는 10대 중점 추진과제를 발표하고, 의료·IT 융합형 산업을 육성하기 위해 거버넌스 구축 및 제도 개선 등을 진행하겠다고 밝혔다.

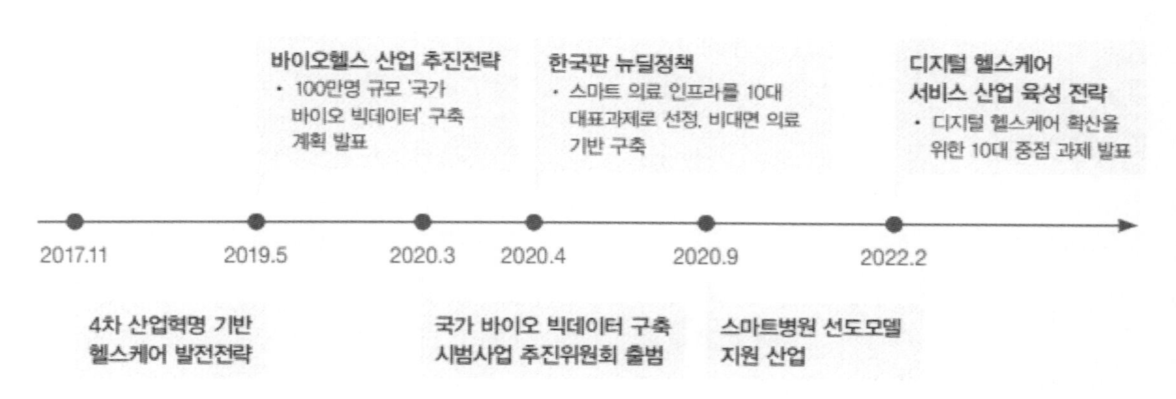

[그림 76] 한국 디지털 헬스케어 정책 동향

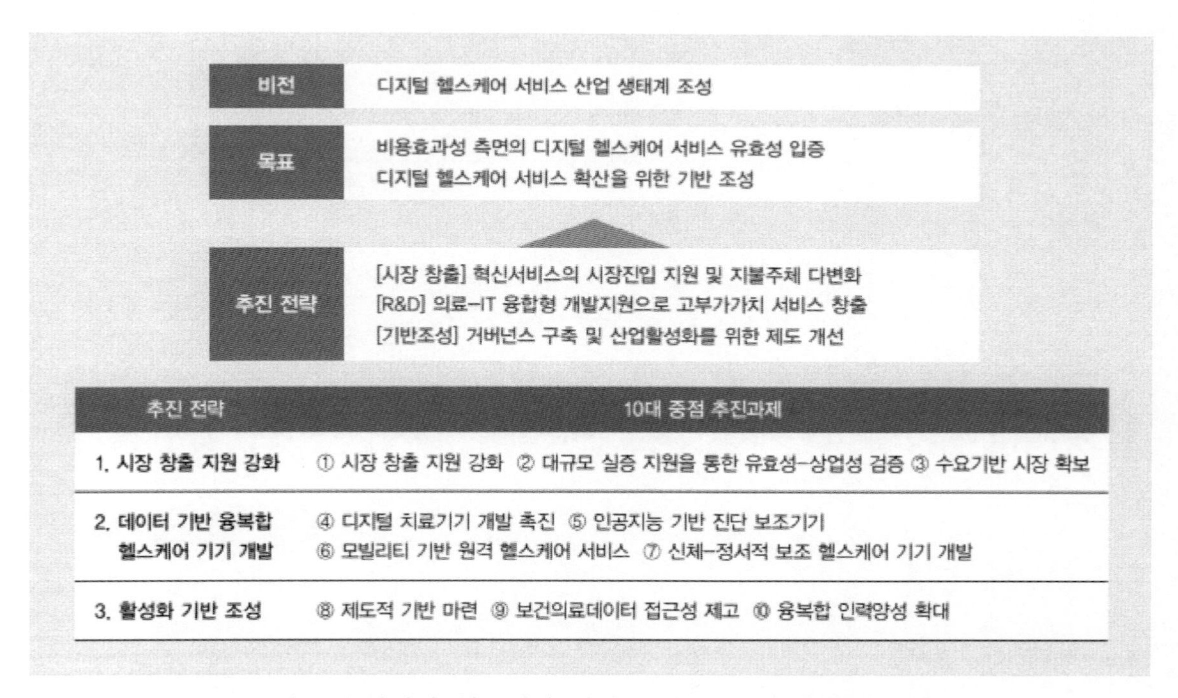

추진 전략	10대 중점 추진과제
1. 시장 창출 지원 강화	① 시장 창출 지원 강화 ② 대규모 실증 지원을 통한 유효성-상업성 검증 ③ 수요기반 시장 확보
2. 데이터 기반 융복합 헬스케어 기기 개발	④ 디지털 치료기기 개발 촉진 ⑤ 인공지능 기반 진단 보조기기 ⑥ 모빌리티 기반 원격 헬스케어 서비스 ⑦ 신체-정서적 보조 헬스케어 기기 개발
3. 활성화 기반 조성	⑧ 제도적 기반 마련 ⑨ 보건의료데이터 접근성 제고 ⑩ 융복합 인력양성 확대

[그림 77] 디지털 헬스케어 서비스 산업 육성 전략(2022.2)

국내에서는 여전히 정밀의료(DTC 유전자 검사)와 원격의료 등을 둘러싼 팽팽한 줄다리기가 지속되고 있는 것도 사실이지만, COVID-19 이후 원격의료 등의 필요성에 대한 국민적 요구가 높아지고, 윤석열 대통령도 선거 공약에서 디지털 헬스케어를 육성하겠다고 밝혀, 향후 해당 산업에 대한 규제 완화 및 지원이 기대된다.

윤석열 대통령 헬스케어 공약
■ 4차 산업혁명 먹거리 산업 육성
□ 유전자 통합제어 기술 및 산업 지원
□ 디지털병원, 디지털의료 전문인력 양성 등 위한 의료시스템 혁신 추진
■ 보건안보 확립과 국부창출의 새로운 길
□ 국무총리 직속 '제약바이오혁신위원회' 설치
■ 디지털 헬스케어 확대
□ 건강정보 고속도로 시스템 구축 및 맞춤형 의료 제공
• 국민 개개인이 자신의 의료·건강정보를 손쉽게 활용할 수 있는 시스템
• 의료 마이데이터, 디지털 헬스케어 서비스에 대한 법·제도적 기반 마련
□ 도서·산간 지역 및 소외계층 대상의 비대면 진료 시범사업 확대
□ 데이터 기반 연구개발 확대 및 정밀의료 촉진
• 보건의료 빅데이터 구축 및 개방, 바이오 디지털 활용 인공지능 개발 등

[표 34] 윤석열 대통령 헬스케어 공약

1) 원격의료 규제

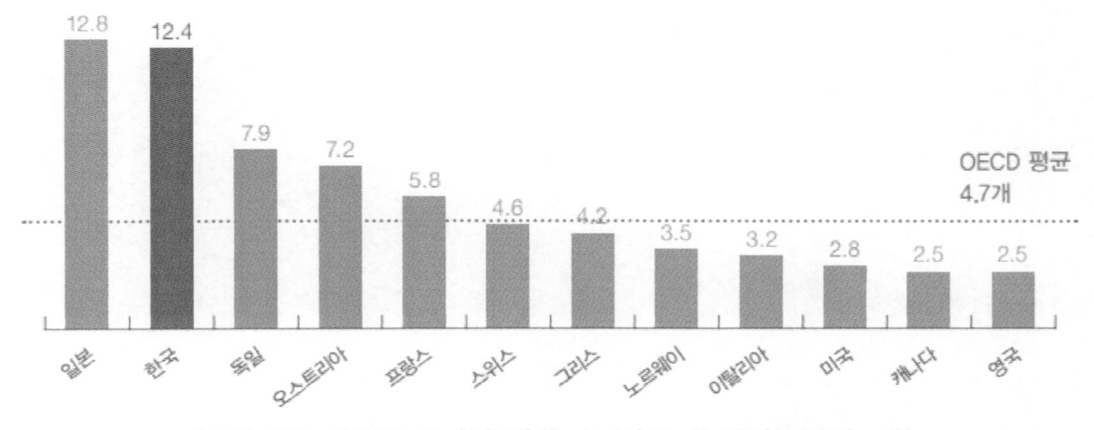

[그림 78] OECD 국가별 병상 수 (인구 천 명당) (단위: 개)

한국은 의사-의사인 간 '원격협진'만을 허용하며, 의사-환자 간 원격의료는 금지되어 있다. 의료계는 원격의료가 의학적 안정성을 보장하기 어렵다는 이유로 수십 년째 원격의료를 반대하고 있다. 의료계의 또 다른 반대 이유는 우리나라의 의료 시스템에서 찾을 수 있는데, 우리나라는 OECD 국가 중 인구 천 명당 가장 높은 병상 수를 보유한 국가 중 하나로 의료 인프라가 잘 갖춰진 상황이다.

국내 의료공급의 92%(외래환자 기준)는 민간 의료기관을 통해 이뤄지고 있는데, 원격진료가 시행될 경우 최상급 의료기관 중심의 이용자 편중이 심화되어 중소 의료기관 및 동네의원이 생존이 어려워질 것에 대해서 의료계의 우려가 높은 상황이다.

의료계의 반대에도 불구하고 정부에서는 고령화와 의료 서비스 불균형 해소 등을 위하여 원격의료를 지속적으로 추진해왔으나, 매번 의료계와의 충돌로 본격적 확대는 이루어지고 있지 못한 상황이다. 한국의 원격의료는 1988년 농어촌 의료취약지역에 최초 도입을 시도했으나 시범사업만 현재까지 30년 넘게 시도되고 있고, 제18대·19대·20대 국회에서 원격의료 시행을 위한 의료법 개정을 추진했으나 입법에는 번번이 실패했다. 그러나 금번 COVID-19 기간 동안 2년 정도 원격의료를 한시적으로 시행한 상황에서, 의료계와 국민은 원격의료의 필요성에 대해 재검토를 하게 되었다. 이미 350만 명이 원격의료를 경험한 상황(2022년 1월 기준)에서 비대면 의료의 본격적 도입에 대한 논의는, 과거의 논의 상황과는 그 무게가 다를 것으로 예상된다.

연도	내용
1988	서울대병원-연천보건소 간 원격영상진단 시범 시행. 원격의료 최초 도입
2002	의사-의료인 간 원격의료 제도 도입(의료법 개정)
2006	정부, 의사-환자 간 원격의료 시범 사업 추진 발표
2007~2009	격오지 부대, 독도경비대, 산간·도서지역 원격의료 시범 사업
2010	18대 국회, 의사-환자 간 원격의료 허용 의료법 개정안 제출했으나 폐기
2014	19대 국회, 의사-환자 간 원격의료 허용 내용의 의료법 개정안 재추진
2015	특수지 군장병·원양선박·제소자 등 148개 기관 대상 원격의료 시범 사업 시행
2016	20대 국회, 의료법 개정안 재발의
2019	디지털 헬스케어 특구(강원도) 지정 및 원격의료 허용 특례 적용
2020	정부, COVID-19의 2차 유행 대비해 비대면 의료체계 구축 언급

[표 35] 한국의 원격의료 추진 과정

07. 인공지능 헬스케어 사회적 영향

7. 인공지능 헬스케어 사회적 영향[75)]

가. 긍정적 영향

1) 환자·일반인

환자, 일반인의 다양한 데이터에 기반을 둔 최적화된 의료· 건강관리 서비스 이용으로 의료비 부담 경감 및 건강한 삶의 영위가 가능할 것으로 전망된다. 또한, 환자, 일반인의 다양한 데이터(웨어러블 기기의 센서 데이터, 의료데이터, 라이프 로그 데이터 등)를 기반으로 건강상태를 분석하여 자신에게 맞는 치료법과 의약품을 처방받음으로써, 치료효과는 높이고 부작용은 줄일 수 있다.

인공지능 헬스케어를 이용하면 미래에 발생할 수 있는 질병을 예측하여 건강관리 프로그램 추천 등 질병을 효과적으로 예방할 수 있으며, 환자의 진료과정에서 불필요한 의료행위를 파악함으로써 의료비 절감이 가능하다. 또한, 데이터 기반 상시 건강 모니터링 및 환자개인별 최적화된 치료를 통해 보다 건강한 삶의 영위가 가능해져 삶의 질이 향상될 것으로 예상된다.

2) 의료기관

의료기관에서는 데이터 및 인공지능 기술 기반 개인 맞춤형 치료(정밀 의료)를 제공하면서 의료의 질적 수준을 향상시킬 수 있으며, 딥러닝 기술을 통해 MRI같은 복잡한 의료영상 패턴 인식 능력의 향상으로 진단률을 높일 수 있다.

인공지능 기술은 숙련된 의료진의 역량을 높이면서 데이터 기반 임상결정지원시스템(CDSS: Clinical Decision Support System)으로 질병을 보다 정확하게 진단할 수 있어 오진 가능성을 낮추고 환자에게 딱 맞는 치료법 · 의약품 처방 이 가능하여 치료효과를 높일 수 있다. 미국 5개 대학병원에서 인공지능 로봇에 의한 35만 건의 약 처방 • 조제에서 오류가 0%로 나타났다.

또한, 개인의 진료기록, 유전체 정보, 생활습관 정보 등의 데이터에 인공지능 기술(딥러닝, 머신러닝, 영상 · 이미지 인식, 자연어 처리 등)을 적용하여 고도의 정밀화 된 개인별 의료 서비스를 제공할 수 있다.

3) 제약 산업

제약 산업에서는 개인의 유전체 정보와 인공지능 기술 분석을 통해 개인 특성 기반 맞춤형 신약 개발 및 성공확률을 높이는 등 새로운 고부가가치 의약품 창출을 촉진할 수 있다. 이처럼 인공지능 기술의 발전으로 개인의 유전체 정보에 대한 분석이 가능해짐에 따라 질병 예방 및 치료의 성공가능성이 높은 의약품 개발 역량을 높일 수 있다.

---

75) 인공지능 헬스케어의 산업생태계와 발전방향, 김문구, ETRI, 2016.08

4) 보험 산업

보험 산업에서는 가입자의 정확한 데이터 분석을 통한 적정 보험료 산정, 보험금 누수 방지로 보험산업의 업무 효율화 향상 및 건전성을 높일 수 있다. 또한, 가입자의 의료 · 건강 · 유전자 정보 및 보험 소송 등 다양한 데이터를 활용하여 보다 정밀한 보험료 산정이 가능할 것으로 전망된다.

더 나아가, 고객의 방대한 상담내용을 바탕으로 인공지능 기술(패턴인식, 자연어 처리 등)을 적용하여 고객의 불만사항에 대한 선제적 대응 및 새로운 니즈 발굴 등 업무 효율성을 개선할 수 있으며, 가입자의 보험금 사용 패턴 분석으로 보험금 부당 유용 확인 · 방지가 가능해져 보험 산업의 재정건전성을 높일 수 있다.

나. 부정적 영향

1) 프라이버시

인공지능 헬스케어에서는 개인 의료 데이터의 유출로 인한 사생활 침해가 우려되고 있다. 의료데이터는 개인의 민감한 정보를 지니고 있어 개인정보 보호 설정이 매우 중요하다.

의료서비스가 유무선 네트워크와 연결되어 제공되는 경우 부적절하게 또는 악의적으로 개인 의료데이터를 사용하기 위해 해킹 시 개인정보 유출의 가능성이 존재한다. 2010년 대비 2015년의 의료관련 해킹 활동이 125% 증가함에 따라 의료, 제약 업계의 정보보안이 매우 취약한 상황이다.

2) 환자의 안전보장 제약

의료산업에 인공지능 기술의 도입에 맞는 안전 규제 체계의 미흡으로 환자에 대한 안전보장에 제약이 있다. 의료산업의 특성상 인간의 생명과 직결되는 의료 안전성의 확보가 매우 중요하나, 기존 의료 산업의 패러다임을 변화시킬 혁신적 기술인 인공지능의 도입에 따른 새로운 안전체계가 부족한 현실이다.

인공지능이 적용된 지능형 헬스케어 로봇의 자율적 의사결정이 의도치 않게 인 간 생명에 치명적 영향을 끼칠 수 있는데, 인공지능 시스템 자체의 복잡도가 증가함에 따라 예기치 않은 오류 발생으로 인해 잘못된 진단・처방 등의 의료사고가 발생할 수 있기 때문이다.

3) 판단·책임의 윤리 문제

인공지능의 자율적 판단에 대한 부적절성 및 진단・처방의 결과에 대한 문제 발생시 책임소재 설정에 대한 문제가 발생할 수 있다. 이는 환자가 처한 사회적, 경제적, 환경적 등의 다양한 상황적 요인들을 고려하지 않은 인공지능의 치료 결정은 각종 윤리적 문제 발생을 야기하기 때문이다.

인공지능의 판단이 인공지능 제작자의 윤리적 입장을 반영할 가능성 또한 존재하는데, 이는 병원에서 이윤을 극대화하기 위해 환자차별적 알고리즘을 생성할 가능성이 있으며, 인공지능 시스템과 의사가 협력하여 의사결정을 하는 경우, 결과에 대한 의사의 책임 한계 설정 문제가 발생한다. 따라서 치료 결과에 대한 책임 회피의 수단으로 악용될 수 있어 책임 소재에 대한 명확한 검토가 필요하다.

08. 결론

8. 결론[76][77]

인공지능 기술은 모든 산업 분야에 걸쳐 활용되고 있다. 특히, 스마트 헬스케어에서 AI 분야의 투자규모는 비약적으로 증가하였다. 스마트 헬스케어 인공지능이란 질병을 진단 또는 예측함에 있어 인간의 지능(학습능력, 추론능력, 지각능력, 이해능력 등)을 수행할 수 있도록 개발된 기술(기기)을 의미한다.

인공지능 기술을 통해 미래 헬스케어 서비스는 많은 양의 유전자 정보를 스스로 분석하고 학습하여 질환 발현 시기를 예측하거나, 개인 맞춤형 진단 및 생활습관 정보 제공을 통해 질병 발현 예방에 도움을 줄 수 있을 것이다. 진료시에는 의사와 환자 간의 대화가 음성인식 시스템을 통해 자동으로 컴퓨터에 입력되고, 저장된 의료차트 및 의학 정보 빅데이터를 통해 질병 진단정보를 제공하거나, 컴퓨터 스스로가 환자의 의료 영상 이미지를 분석하고 학습하여 암과 같은 질환에 대한 진단정보를 의사에게 제공해 의사의 진단을 도울 수 있다. 또한, 개인 맞춤형 데이터를 통해 개인별 약물의 부작용을 예측하여 처방에 도움을 줄 수도 있을 것이다.

특히 전 세계적으로 고령화와 의료비 부담에 따른 저렴하고 신속한 의료서비스가 요구되기 때문에 인공지능 관련 R&D 정책 등을 범정부 차원에서 추진하고 있다. 인공지능 분야 글로벌 선도국가인 미국은 인공지능을 활용한 정밀의료 추진을 통해 의료의 질적 수준 제고에 집중하고 있다. 유럽은 인공지능의 의료정보 플랫폼 결합 및 유전체 분석에 집중하고 있으며, 일본은 유전체 분석과 인공지능 적용 로봇전략을 통해 개인 케어•맞춤형 의료서비스 제공에 집중하고 있다.

이처럼 의료서비스는 정밀 · 예측 · 예방 · 개인 맞춤형 의료로 탈바꿈되고 있다. 점차 의료에서는 기존의 의료서비스 공급자와 스마트 헬스케어 기기, 소프트웨어 및 인프라 공급자가 협업하면서 기존 의료서비스를 스마트화하고 있다. 스마트 헬스케어 시장이 거듭 성장할 것으로 예상되는 가운데, 국내 의료서비스 및 시스템 공급자는 '변화 대응 능력'을 갖추어 나가야 한다. 사업구조 변화, 인력구조 변화 및 인재 양성, R&D 투자, 파트너십 등 다양한 영역에 걸쳐 전략적인 변화가 요구되는 시점이기 때문에 경영환경 변화를 면밀히 주시하고, 트렌드를 정밀하게 읽음과 동시에 자신의 역량을 객관적으로 진단해봐야 한다.

이러한 변화에 4차 산업혁명의 기반기술들이 의료분야에도 상당한 속도로 확산되고 있다. 가장 중요한 기술로 주목되고 있는 기술은 빅데이터로, 정밀의료나 맞춤형 의료서비스뿐만 아니라 예측 및 예방 등 의료서비스의 변화를 만들어 가는 기술로 인식되고 있다. 이때, 인공지능은 빅데이터와 떼어놓을 수 없는 기술로 스마트 헬스케어의 주요 기반 기술이라고 할 수 있다. 이에 최적화된 기술 로드맵을 구축하고, R&D 투자 혹은 핵심기술 보유 기업과의 M&A 등을 통해 기술을 확보하며, 스마트 헬스케어 서비스를 개발·확대해 나가야 한다.

---

76) 스마트 헬스케어의 현재와 미래, 삼정 KPMG, 2018
77) 인공지능 헬스케어 산업의 실용화 동향, 정보통신기획평가원, 2020.06.17

또한, 빅데이터, 인공지능의 활용이 늘어나면서 정형·비정형 빅데이터 구축이 확대되고 있는 가운데, 의료 빅데이터는 보안의 중요성이 특히 높은 영역으로 평가되고 있다. 유전자, 의료, 질병 등의 개인정보는 유출될 시 그 충격이 더욱 클 수 있고, 관련 기업 및 의료기관 등은 치명적일 수 있다. 특히, 의료 빅데이터 구축 및 활용 과정이 여러 기관과의 협업을 기초로 하고 있기 때문에 상당한 수준의 사이버 보안 역량을 갖출 필요가 있다. 따라서, 네트워크 보안, 클라우드 보안, 상호 연결된 협업구조 전반의 데이터 보안 등을 위한 사이버 보안 시스템이 선결될 필요가 있다.

09. 참고문헌

9. 참고문헌

[1] 의료·헬스케어에 VR·AR 기술이 활용된다?, YTN 사이언스, 2018.09.11
[2] 스마트헬스케어, 한국IR협의회, 2019.09.19.
[3] 인공지능 헬스케어의 산업생태계와 발전방향, 김문구, ETRI, 2016
[4] 디지털 헬스케어의 개화 원격의료의 현주소, PwC Korea, 2022.07
[5] 헬스케어를 주름잡는 AI 기술 성공사례 인공지능이 바꾸는 '헬스케어' 산업, TechIssue, 2019.03
[6] 인공지능 헬스케어 국내외 동향 및 활성화 방향, 김문구 외 2명, 한국과학기술연구원
[7] 헬스케어 분야 머신러닝 기술 활용 및 동향, khidi, 2019.11.18.
[8] 의료 인공지능의 한계를 뛰어넘는 설명 가능한 인공지능 기술, XAI, 보건산업브리프, Khidi, 2021.11.01.
[9] 빠르게 성장하는 디지털 헬스케어 인공지능 시장, 한국방송통신전파진흥원
[10] 「2020 신개발 의료기기 전망 분석보고서」 2020.3월, 식품의약품안전처
[11] 헬스케어 분야 머신러닝 기술 활용 및 동향, Khidi, 2019.11.18.
[12] [기획]의료계 뜨겁게 달궜던 '왓슨' 열풍 이대로 식나, 청년의사, 2019.05.17.
[13] AI 신약개발, 2~3년 프로세스 46일로 단축, The Science Monitor, 2019.09.03
[14] 아톰와이즈, AI 이용한 세계최대 약물후보 스크리닝 프로그램 개발, 성재준, News1, 2019.08.14
[15] SK바이오팜, 美 twoXAR와 인공지능 폐암신약 공동연구, 장종원, 바이오스펙테이터, 2019.04.18
[16] 한미약품, 신약개발에 AI 도입..스탠다임과 협업, 장종원, 바이오스펙테이터, 2020.01.22
[17] 파로스IBT, AML 대상 '차세대 FLT3 저해제' "호주 1상 승인", 김성민, 바이오스펙테이터, 2019.12.05
[18] 빠르게 성장하는 디지털 헬스케어 인공지능 시장, 한국방송통신전파진흥원
[19] 디지털 헬스케어 최근 동향과 시사점, 김용균, 정보통신기술센터
[20] 해외 디지털 헬스케어 규제개선 동향, 문장원, 윤형진, 선미란, NIPA, 2019.12.11.
[21] 애플 헬스 레코드: 아이폰으로 자신의 진료기록을 관리한다. 최윤섭, 최윤섭의 헬스케어 이노베이션, 2019.02.18.
[22] 구글, 스마트폰+AI 활용 헬스 프로젝트 소개, CIOKorea, 2022.03.28.
[23] AI와 애저 플랫폼으로 지원하는 MS의 헬스케어 산업, 이건한, 테크월드, 2019.08.14.
[24] 알리건강, 삼성증권, 2020.10.27
[25] 서너 인수한 오라클의 빅픽처..."미국인 대상 국가 헬스케어 DB 구축", 디지털투데이, 2022.06.12
[26] 오라클 '서너' 인수 완료, 헬스케어 강화…글로벌 클라우드도 가세, 아이뉴스24, 2022.06.05.
[27] 셀바스 AI, CES 2019서 '셀비 체크업' 최신 버전 공개, 김근희, 뉴스핌, 2019.01.09.
[28] 위지윅스튜디오, 셀바스AI 맞손 "메타버스 시장 선점", 더벨, 2021.12.10.
[29] 급여권 들어선 의료 AI…뷰노, 국내 첫 비급여 시장 진입, 메디컬타임즈, 2022.05.18
[30] 의료AI 기업 '루닛' 300억 원 시리즈C 투자 유치, 동아사이언스, 2020.01.06

[31] 루닛, 日시장 판매 확대 "6개월만, 100곳 돌파", 바이오스팩테이터, 2022.07.08
[32] 스탠다임 "AI로 신약 후보 발굴 중…글로벌 '빅딜' 도전", 전자신문, 2022.05.30
[33] 스탠다임, '해석가능'타깃발굴 AI "글로벌 경쟁력", 바이오스팩테이터, 2022.03.03.
[34] 코로나로 고생한 폐의 건강 상태를 바로 확인하는 방법, 조선일보, 2022.04.20
[35] 폐 건강관리 '불로'운영 브레싱스, 파프리카케어와 업무협약 체결, 벤처스퀘어, 2021.11.25.
[36] 비대면으로 더 똑똑해진 의료…국내 스마트 헬스케어 시장 활기, 2021.4.8. 이데일리
[37] [CES 2022] 메타버스로 치매 예방, 룩시드랩스 CES 혁신상 수상, 아주경제, 2021.12.30
[38] 누가의료기, 개인용 의료기 선두주자…글로벌 판매망 3500개, 한국경제, 2021.08.29
[39] 비대면으로 더 똑똑해진 의료…국내 스마트 헬스케어 시장 활기, 2021.4.8. 이데일리
[40] [Link up - BIO #9] 바쉔메디케이션, "복약 순응도 개선을 위한 모니터링 시스템", 2020.01.21. 와우테일
[41] ㈜웨스트문, 스마트 헬스케어 프로그램 MiT(Mirror Training) 개발. 2021.04.12. dongA.com
[42] 바이칼, 언어처리 AI로 헬스케어 플랫폼 구축. 2021.04.12. 의학신문
[43] 스마트 헬스케어의 현재와 미래, 삼정 KPMG, 2018
[44] 인공지능 헬스케어 산업의 실용화 동향, 정보통신기획평가원, 2020.06.17

초판 1쇄 인쇄 2019년 3월 02일
초판 1쇄 발행 2019년 3월 11일
개정판 발행 2020년 2월 21일
개정2판 발행 2021년 5월 17일
개정3판 발행 2022년 8월 29일

편저 비피기술거래 비피제이기술거래
펴낸곳 비티타임즈
발행자번호 959406
주소 전북 전주시 서신동 780-2
대표전화 063 277 3557
팩스 063 277 3558
이메일 bpj3558@naver.com
ISBN 979-11-6345-379-6(13570)
가격 66,000원

이 도서의 국립중앙도서관 출판예정도서목록(CIP)은 서지정보유통지원시스템홈페이지 (http://seoji.nl.go.kr)와국가자료공동목록시스템 (http://www.nl.go.kr/kolisnet)에서 이용하실 수 있습니다.